有無を言わせぬ春の訪れ

堀川祥子モイネヘン

目次

第一話　山田町の地蔵さん

山田町駅で電車を降りると小さな広場に出る。おみやげ屋、饅頭屋の並んだありきたりの駅前広場である。その前を、道幅は狭いが県道に続く舗装道路が、このところ交通量が増えて立ち往生することがある。駅前広場からその舗装道路を徒歩で横断すると、目の前に分かれ道がある。それは石畳の坂道で、当時十五歳のマキには、既に馴染み深い坂道となっていた。長さ200メートルもあるだろうか、運動靴の底をキュッキュッと押し上げる丸石のつるつるした感触が、あれから十二、三年を過ぎた今でも、マキの体に記憶として残っている。

坂道を真ん中あたりまで上ると、左側の石塀から竹筒が突き出ており、年中、温泉町の豊かな湯が湯気をたてながら流れ出ているのだった。流れ出る湯の横にだれが置いたのか、小さな地蔵仏（ぼとけ）が立っている。白い胸当てをつけた石造りの地蔵さんは、マキが覚えている限り、常に無表情であった。

ここまで来ると、タエは必ず立ち止まって、いつもの慣行（ならい）を行う。まず、手さげの中から花柄の小さな小銭入れを取り出す。そして湯もとに近づいて行くと、地蔵さんの前でしばらく手を合わせて拝んでから、小銭入れから取り出した小銭を地蔵さんの足もとに置く。そうして、次に、左の袂の中から小さなタオルを取り出して湯で濡らし、額と両耳の後ろ、首の周りをそっと拭って、

「ああ、いい香り」

いつも同じ言葉である。それからタエは、母の慣行をお行儀よく見守っているさとるの方に向かってにっこりする。このときのタエの顔は、家を出たときの険悪な顔と同人物とは思えないほど穏やかであった。五歳年下のさとるの手と顔を、母が同じタオルで優しく拭う間、さとるはされるがままじっとして立っているのだが、マキはひとりで湯もとに近づいて行き、硫黄の匂いの溢れる湯で顔を洗い、うがいをする。そうして、地蔵さんの真ん前にしゃがみ込んで、その目を覗き込むのだ。

　山田町のこの地蔵仏の特徴は、その目であった。地蔵仏の目と言えば、概して細長い糸のような切り目で、ほとんどの場合つむっている。ところが、この地蔵仏の目は少なからず開いており、小さいながら目玉もはっきりと見える。どこかで見覚えのある目なのだが、なんど見ても見当がつかないため、マキは、母の慣行の間中、地蔵さんと睨めっこをした

ものだ。ところが、睨めっこは常に一方通行で、地蔵さんの目とマキの目は合致したことがなかった。

　ふたりの子供が慣行（ならい）を終えると、タエは体を揺さぶって大きな咳払いをし、竹筒の湯でうがいをし、右の袂（たもと）からチリ紙の束を取り出して口を拭う。それからすっと背筋を伸ばし、

「さあ、山田」

と言って、慣行が終了するのだった。これは、毎回、この坂道を上るたびに同じ順序で繰り返される、いわば儀式のようなものとなっていた。

　家を出る前にも、もうひとつの儀式があった。父母の間で交わされる怒鳴り合いである。

「お前は常識外れだ！」

　子供を連れて玄関に向かうタエの背中を、康男の大声が追いかける。

「子供を連れて行くような場所じゃないぞ！」

「お前はそれでも母親か！」

　草履を履き、玄関の戸を開けてから、タエはヒステリックな声で捨て台詞（ぜりふ）を残す。

「あなたはどうだって言うの？　子供を連れて行けないような場所に、最近はよくおいでのようだけど？」

これもひとつの慣行だったのではないだろうかと、もうじき三十を迎えんとするマキは考えるときがある。山田町に行くたびに、両親の間で同じ言葉が同じように交わされたのだ。最後の捨て台詞を残すことによって、母は山田町行きの許可を獲得し、父は父で、心の隅で小さく息をしていたバツの悪さというか、大した体裁にもなっていない罪悪感とやらを、怒鳴りあげることによって「汚れ落とし」にしていたのかもしれない。ふたりが落とした汚れが、一体だれに降りかかることになるのか——立ち止まって憂慮する者もいないまま。

第二話　怒りはくすぶったまま

坂道を上りきると、道はふたつに分かれる。左手には石畳の道が続き、右の道は泥道だが、山田町全体が展望できる丘の頂上へと続く。このふたつの道の分岐点に大きな木造の屋敷があった。タエはその玄関前に立ってもう一度背筋を伸ばし、引き戸を開けて、

「ごめんくださあい」

と明るい声をあげた。若い女たちの喋る声と三味線の音が、磨きあげられた廊下の上を滑って耳もとに届く。タエも三味線を一か月に二度習っていたが、彼女の弾く三味線は長唄で、一曲を一時間近くぶっ続けで弾くのである。

「ここで弾いているのは小唄、おかあさんが習っているのは長唄、クラッシックなのよ」

タエは子供たちに得意そうに説明したものだ。

小唄を奏でる三味線の音に乗るようにして飛んでくるのが、

「いらっしゃあい！」

かん高い声ではあるが、息切れが隠せない。のれんの向こう側から、その声の主が蝶々のように飛んで来た。薄紫と薄緑の雲の流れを想わせる藍染めの着物の胸もとに、真っ白

い襦袢が覗いている。この家の女主人ヤエ、タエの姉、マキとさとるの伯母である。白髪の増えてきた長い髪を鼈甲（べっこう）の髪留めで後ろにまとめている。細長い首と美しいうなじは、若い女たちの、とくに妹タエの妬みの対象であることを、さすがに口には出さないものの、ヤエは重々承知していた。

この150センチにも満たない小さい体の中には、はちきれるようなエネルギーが蓄えられているのだが、それが六か月ごとに停電することがある。彼女が停電すると、家中の動きも停滞してしまう。ヤエは自分の部屋に閉じこもり、ありとあらゆることを人のせい、周囲のせいにして人生を呪う。その間、ほとんど食もせず、茶だけを啜り、自己憐憫にいよいよ疲れ果てると、こんこんと眠り続ける。家の住人たちは、あたかも針の山を歩くように神経を使い、ヤエの眠りを邪魔しまいとするのだが、四、五日もすると、突然ヤエのかん高い声がまたもや家中に響き渡るのだ。

「天照大御神（あまてらすおおみかみ）さまが岩戸を開けられた！」

住人たちはほっと胸を撫でおろし、ヤエの気力だけに頼っている営みが再び開始されるのであった。

千坪近くあるヤエの家の裏庭には、よく手入れされた芝生が育っていた。庭に沿って小川が流れており、そこでさとるは、この広い庭の管理を引き受けている横田の爺と魚釣りをしたものだ。小川の岸辺に備え付けてある古椅子に座って、横田の爺が手に持ったポットをねじり開けると、ポンと音がして湯気がたち、コーヒーの香りが辺りに散った。爺は手もとのマグカップふたつにコーヒーを等分に注ぎ、

「カフェ」

と言って、そのひとつをマキに手渡す。コーヒーの豊かさを初めてマキに紹介したのは、このブラジル帰りの老人であった。老人と言っても、横田は五十の春を迎えたばかりである。いわば、初老なのである。その横田が、横田の爺と呼ばれるのを快く受け入れているのには、ふたつの理由があった。ひとつは、五年前にブラジルから帰郷して来た当時、同じ横田の姓をもつ庭師の男と知り合いになり、しばらく一緒に仕事をした。そのうち、ふたりの間に亀裂が生じ、

「女郎屋の女に喰わせてもらっている横田と俺は違うぞ」

と相手に嘗められてからというもの、横田の爺と呼ばれることで、もうひとりの横田と区別されたかったようである。ふたつ目の理由は、どういうわけか、「爺」と呼ばれることがまんざら嫌でもなさそうなのだ。青年時代を他国で、血のつながりから離れて過ごした

横田三郎にとって、それは座り心地の良い名称だったのかもしれない。

マキは、マグカップの中で息をしているカフェの香を顔に注いだ。横田の爺が、傍らの布袋に手を入れて四角い缶を取り出した。缶の外側に印刷された金髪の若い女の笑顔だらけの写真も、英語とポルトガル語で印刷された商標も、ほとんど剥げてしまっていた。横田の爺は、缶の中から指でつかんだ角砂糖をマキのマグカップの中にふたつ落としてから、水面の浮きをじっと眺めているさとるの右の手のひらにもふたつ握らせた。さとるは、そのふたつの角砂糖を口の中にほおばる。さとるはコーヒーが嫌いだ。苦いと言う。

弟には子供らしさがないとマキは思う。近所の子供たちと遊びたがらないためだろうか。かと言って、母の傍から滅多に離れることのないさとるが、無邪気に母に甘える姿を見たこともなかった。そう言えば、開けっ放しの感情を表現したことがあるのだろうか。

「あの家には、だれか住んでるの？」

以前にも目に留まったことはあったものの、ヤエの敷地の隅っこに建っている小さな平屋に、それまでマキはさして注意を払ったことがなかったのだ。今朝は、その家の煙突から白い煙がたなびいている。

「あ、あれかあ」

マグカップから唇をはずして、爺がかすれ声で言った。

「近づかんほうがええぞ」

爺は角砂糖をひとつ取り出して口の中に入れ、缶に蓋をして布袋の中にしまった。

「どうして？」

マキの質問に、横田の爺はしばし戸惑っていたが、

「妙なババアが住んでるからな」


「あんたにしてもらいたくないことがあったら、してちょうだいと言ったほうがいいみたいね。必ず、逆のことをやるんだから。ほんとにあまのじゃくって、マキのことだわ」

さとるの食べ残しを自分の茶碗の中に移しながら、タエが苛立たしそうな声で言った。

「行くなと言ったじゃないか」

横田の爺がマキを睨んだ。

「だって、どうして行っちゃいけないのか説明してくれなかったでしょ？」

ヤエとタエが互いの顔を見やって、同時にため息をついた。横田の爺が待ってましたとばかりに、

「説明したじゃないか、妙なババアが住んでるから近づくなって」

横田の爺は姉妹のほうを見て、

「俺のせいではないぞ」

と言わんばかりである。

母親としての忍耐を持ち合わせていないタエは、好奇心の強いマキの絶え間ない質問に癇癪玉を破裂させる。

「あんたは、いつも、どうして、なぜって、うるさい子だわ。いちいち質問せずに、言われたとおりにしてなさい！」


「マキ、あんたはだれに似たんだろうねぇ」

ヤエがキセル煙草の煙をすーっと吐いた。

「康男さんの血だろうねぇ」

青筋の盛り上がったヤエのこめかみが、ピリッと痙攣した。三人の大人の黄色い目が、マキをなじっている。

ことあるごとに、ヤエは康男を責める。悪いことは皆、康男のせいなのだ。マキの強情な性格も、タエの精神が不安定なのも、さとるの喘息が治らないのも、康男が家の主（あるじ）として牛耳る力量に欠けるからだとヤエは言うのだ。タエはタエで、そんなヤエの偏見を利用する。康男と衝突した後には、一方的に味方をしてくれる姉の側につくかと思うと、康男との関係が円滑なときには、

「なんて懐疑心の強い、嫌な性格なんだろう」

と姉を非難する立場をとる。そのたびに、ヤエは言う。

「いいかい、夫婦たって、所詮、他人だよ。あんたとあたしのような血のつながりとは違うんだからさ。身内以外の者を信用するなって、かあさんが口癖のように言ってたじゃないか」

康男の名前が出たはずみに、

「うちの人、最近家に帰って来ないことがよくあるのよ」

タエがだれにともなくそう言った。

「康男さん、浮気かい？」

横田の爺がにやりとした。ヤエは含み笑いを隠しきれずに、キセルの頭で、結い上げた

髪の根もとを掻いた。

「重蔵(じゅうぞう)さんも、ずいぶん、かあさんを泣かせたもんだよ、なかなか訪ねて来なかったからね。女遊びが好きでね。今も昔も変わりゃしないよ、こればっかしは。タエは覚えてるかい？かあさんが、時々、憑かれたように家中の模様替えをしてたじゃないか」

横田の爺が、俺はそんな話聞いたことがないぞと言わんばかりに、興味の色を示した。

「覚えてるわよ。こっちの家具をあっちに移したり、この家具はいらないと言って古道具屋に取りに来させたりしてたわね」

「重蔵さんから一週間も、ときには一か月も音沙汰がないと狂ったようになっちゃってさ。昼日中から酒浸りで。もともと胃腸の弱い人だったから、酔っぱらぅと吐いて胃痙攣を起こしてね。そのたびに、あたしに掃除させてさ」

ヤエがぜーぜーと音をたてて笑った。

「あんたもね、ヒステリーを起こすのいい加減にしないと、旦那に捨てられて途方に暮れるわよ」

ヤエが吐いたキセル煙草が、三人の大人の頭上で煙った。タエがキッと姉を睨んだ。

「よく言うわね、姉さん。わたしのことより、自分のヒステリーを心配したらどうなの」

タエは、庭に続く台所の戸をわざとらしくピシャリと閉めて外に出て行った。ヤエがかったるそうに、もう一度煙草の煙を吐いた。両親が争うごとに、これに似た空間にとり残されたマキであったが、なんどとり残されても、慣れっこになれる空間ではなかった。対立する人間のエネルギーのぶつかり合いの真ん中に立たされて、若いマキは自分の居場所が不安定になって混乱する他を知らない。

煙草をふかしながら窓の外を眺めているヤエに、

「重蔵さんって、だれ？　おじいちゃんのこと？　どうして、おじいちゃん、訪ねて来なかったの？」

と訊きたくても、どうせ怒鳴られるのが関の山だ。

癪に障るという感情が憤りに変わってから久しくなる。憤りは、十五歳のマキと親しい仲になってしまっていたからだ。しかし、その感情とどのように付き合っていけばよいのか、その方法がつかめないまま成長しているマキの心の中には、不完全燃焼の怒りがくすぶったままであった。

台所の外で、和世が鼻歌交じりに洗濯したばかりの白いシーツを干している。ヤエの家のお姉さんたちの中でも、和世は一番きれいで優しいと、マキは日ごろから思っていた。和世姉さんがわたしのおかあさんだったらなあと空想することもしばしばある。初春の日差しの中で、白いシーツが、和世の性格を表すかのようにのんびりと風に吹かれている。

その背後に、あの小さな水色の家が覗いていた。

第三話　水色の家の人

　横田の爺に注意されたにもかかわらず、前日、マキは、庭の隅の小さな家に向かったのだった。年月の経った小さな木造の平屋だが、周囲には多年草の花やハーブがよく手入れされており、健やかに息吹いていた。小さな家には不似合いな、ぶ厚いがっしりとした木造りのドアの真ん中に、ドライラベンダーの束がかけてある。ドアベルを鳴らしても返事がないので、マキはノブをゆっくり回してみた。驚いたことに、ドアが開いた。

「ごめんください！」

　好奇心と臆病風が、マキの心の中を通り抜けた。やがて家の奥から現れたのは、ヤエやタエと同世代と思われる小柄な婦人であった。婦人は、銀縁メガネの奥からマキの顔をしげしげと見つめて、

「マキちゃん？」

　とにっこりした。瞳だけを見るならば、子供の瞳と間違えるくらい悪意のない目だ。

「そろそろ、マキちゃん来るだろうと思ってたのよ」

　家の中に入ってマキはさらに驚いた。外観は小さな平屋であるが、急に拡大したかのように、通された居間は広々としていた。しかも、ブルーなのだ。なにがブルーなのかと問

われたら、マキは、「空気がブルーなのよ」と答えたに違いない。それというのも、大きな窓の横に置かれている高さ2メートルはあるだろうか、青紫の水晶石(クリスタル)が初春の柔らかい日差しを受けて、部屋中にブルーを投げかけているのだった。マキは度肝を抜かれた。こんな美しい家の中に入ったのは初めての経験だったのだ。高価な家具があるわけではない。きらびやかな装飾品や置物があるわけでもない。家具と言えば、古いロッキングチェアとリクライナーがあるだけだ。居間の隅にあるストーブには、消えかけた炎が最後の赤い熱を発している。大きな窓にはカーテンがない。壁にくぎ付けされた本棚には書籍がびっしりと並んでいるが、いずれも外国語の書籍であったため、マキは注意を払わなかった。居間のスペースは軽やかで心地よく、初めて入った人をも自分の空間の中にいるような気持ちにさせる。吹き抜けの天井を支えているビームの間を、きらきらと輝く球形の光が飛び交っている。光の球は時々降下して、室内植物の葉っぱの上を滑り落ちては、また舞い上がって行く。

（この人、だれ？　どうしてわたしを知ってるの？　どうしてここに住んでるの？）

この婦人に訊きたいことが頭の中を駆け回っていたにもかかわらず、ふかふかのリクライナーに座って不思議なブルーの空気を吸っているうちに、マキはいつの間にか深い眠りに落ちてしまっていた。

20メートル余の幅のある川に、石造りの太鼓橋がかかっている。その橋の上を、向こう岸に向かってマキは歩き始めていた。橋の真ん中あたりに来たとき、突然、優に背丈3メートルを超える赤鬼が、目の前に立ちはだかっているではないか。筋肉隆々の赤い体には、黄金の短パンが光っている。しかも、真っ黒のもじゃもじゃ毛の頭からは、短い角が二本突き出ており、右手にはこん棒をしっかと握っている。それだけではない。二本の黄色い歯が下唇を内側から突き破っていて、その顔は理由もなく怒っている。この橋を渡らせるものかと言わんばかりに、大木のような二本の脚を踏ん張っているのだ。

この赤鬼には覚えがあった。タエが三味線のお稽古に、マキとさとるを連れて通っていた頃のことである。近道だからと言って、タエは寺の境内を横切ることを強いたのだが、そのたびに、当時五歳前後のマキは泣きべそをかいて駄々をこねた。と言うのも、寺門の両脇に、赤鬼と青鬼が立って待っているのだ。

「鬼さんが怖いよお」

と泣いても母はきかない。ベビーカーの中のさとるは、壊れかけた機械のようなマキの金切り声にうろたえている。

「バカなことを言うんじゃないの。あれは鬼じゃないの、仁王さんだって言ったでしょ。お寺を守ってるのよ」

母がなんと言おうが、幼いマキにとってみれば、今にもとびかかって来てマキの細い首根っこをねじ曲げる鬼としか思えない。

「まったく仕様がないわね」

タエは、マキの小さい手をグイと引っ張った。母に手を握られた思い出は、このときを含めて数えるほどしかない。その数えるほどしかない母の手の記憶は、幼いマキの手を、いつもグイと引っ張っていたように思い出される。


橋の上に立ちはだかった赤鬼は、マキの方に向かって歩み寄って来た。あれ、青鬼がいないと思ったとたん、橋が大きく揺れた。マキは後ろを振り向いた。なんと、背後から青鬼が、ドスンドスンと近づいて来るではないか。挟み撃ちにされたマキは動揺した。そして咄嗟に、川の中に飛び込んでしまったのだ。川の水が彼女の体を強く打った瞬間、

「わたし、泳げないんだ！」

マキは慌てふためいた。慌てれば慌てるほど、もがけばもがくほど、体が水底に沈んで

いく。まるで絡みつく糸のように、無数の水の手が、彼女の体を縛り付ける。

「助けて！」

マキは叫び声をあげた。すると、いきなり、絡みついた糸がぷっつりと切れた。そして、マキの体は水面に向かってすーっと浮き上がり始めたのだ。それまでマキの体を縛り付けていたはずの水色の手が、この瞬間から上へ上へと彼女をもち上げていく。あたかも、ずっと昔から知っていたことを思い出したかのように、マキの体は泳ぎ始めた。それは、懐かしい動きであった。もはや抵抗ではなかった。

リクライナーがガタンと音をたてて、マキは目が覚めた。いつの間にか眠りに落ちていたのだ。まだ消え去っていない自由が、体内の節々に残っていた。長い間、おそらく物心ついてから十五歳の今日まで、緊張感を抱かずに過ごした日があっただろうか？　それが夢の中で初めて、リラックスするということを知ったのである。いや、思い出したのである。覚めきれない興奮と体の中に満ちている解放感、これはどこで知っていたことなのだろう？

マキはふーっと大きなため息をついた。横田の爺が「妙なババア」と呼んだ婦人が、ロッキングチェアに座って編み物をしている。

「わたし、急に眠くなって――」

婦人は、メガネをはずしてマキを見た。

「ほんの十分くらい眠っていただけよ」

十分？　そんなバカな。ずいぶん長い間、あの気持ちの良い水の中で泳いでいたのに。

「時間って、わたしたちが考えているほど確立したものじゃないのよ。この世の都合上、確立した規則で形どられているけど、他の現実では、また別な姿で現れるのよ、時間は。それにしても、緊張感が少しでもとれて良かったわね」

婦人はロッキングチェアから腰を上げて、窓の外の初春を見た。

「現代人は夢に注意を払わないけど、古代の人たちは、夢を疎かにしなかったのよ。夢は、なんらかのメッセージをもって、わたしたちを訪れるの。もちろん、それは夢という生きものではなくて、無意識の中の生きものなんだけど。わたしたちの無意識の中に隠れているなにかが語りかけてくるのよ。メタファーを使ってメッセージを送ってくることもあるのよ。それじゃ、どうやってそのメッセージを理解するのか――それは、マキちゃん、自分の心に訊くのが一番」

婦人は、不思議な言葉を語っていた。すんなりと頭で理解のできることではなかったが、すんなりと心の空間の中に入って来て居座った言葉であった。納得しないことがあると、「なぜ？」「どうして？」と詰問する性向がマキにはある。そのマキが、知性を超えた場所で納得するということを体験した。その体験の中では、自分の意見や立場に固執しなければならない緊張感がなかった。緊張感がないから、自由があった。雑音のない自由。ああ、静かだ。マキは、静寂という水の中で心を浮かせた。

十五歳のマキにとって、この不思議な婦人との出会いは、渇望していたことの現実化であった。なぜなら、婦人は、マキの疑問や意見を決して個人的な意味での攻撃として受け取らなかったのみならず、年齢の差を意識せずに、対等に会話してくれる人であったからだ。これは、黄色い目たちには不可能な技だったのだ。

その日から、マキは、この婦人を「水色の家の人」と呼ぶようになった。

第四話　明晰夢（ルーシッドドリーム）

電車の窓の外は黒と白の冬景色。アメリカ北東部（ノースイースト）の冬は体に堪（こた）えるとだれかが言ってたっけ。フィラデルフィアの郊外、ブリンモアからセプタ電車に乗っていると思った次の瞬間、マキは69th Streetの駅前に立っていた。ブリンモア大学の学生時代に戻っている。懐かしい69th Street。だが、まてよ、変だなぁ。駅の表示が日本語なのだ。確かに、「69丁目駅」と書いてある。そんなバカな。マキは後ろを振り向いた。

「69丁目地下商店街」

やはり日本語で書かれた看板が目の前に見えた。学生のマキが行き慣れていたオリエンタル食品店街は、地下ではなかったはずなのに。そのとき、トロリー電車の出発合図のベルが鳴り響いて、マキの理性がハタと働いた。

（夢だわ。わたし、夢を見ているんだわ）

マキは夢の中で目を覚ましていた。明晰夢（ルーシッドドリーム）の体験は、これが初めてではない。以前にも、こういう体験があった。夢を見ているのだとわかるとコントロールが自分のものになり、反対に勇気が湧いてきた。商店街の看板の下をくぐって、マキは地下商店街に下りて行った。商店街は薄暗く、空気はねっとりと湿っていた。揚げ物の匂い、香辛料の強い香りがした。ところが、いずれの匂いも、臭覚で感知されるのではなく、そのような匂いがするだろうと想像したとたんに匂ってくるのである。買い物客が大勢行き交っているにもかかわらず、音がない、声がない。右角のラーメン屋のカウンターで、男がふたり、ラーメンを啜っている。麺を啜る音も、臭覚の場合と同様、想像したとたんに聞こえてくるのであった。

人間の動きだけはせわしない。八百屋、魚屋、肉屋、食堂——食べるものばかりだ。商店街の中心に来たとき、左手に、かき氷の宣伝が見えた。プラスチックでできた陳列用のかき氷の器が三つ、赤、青、黄色のどぎつい色で点滅している。その店の左横に、Exitと英字で表示された出口があった。男がひとり立っている。大きな鼻の上にサングラスをかけた浅黒い肌のスリムな男は背広を着ており、日本人ではなさそうだ。南米人なのか、東南アジア人なのか。そのとき、突然、女のすすり泣く声が聞こえた。マキは立ち止まって辺りを見回した。無声無音の中で初めて耳に聞こえた聴覚刺激である。マキの好奇心が頭をもたげた。どこで、だれが、なぜ、泣いているのだろう。せかせかと行き交う人たちには、女の泣き声が聞こえていないようだ。すすり泣く声の主は、かき氷屋の店内にいるのだろうか？　店内に入ろうとしたとき、マキの腕をぐいと掴んだ者がいた。例のサングラスの男である。男は、出口の方にマキを引き寄せてから、ドアを片手で開け、もう片方の手でマキの背中をドアの外に押しやった。

「なにするのよ！」

マキは叫びあげて、男の手を振り払った。

〝Good Day!〟

背後で、男の笑い声が聞こえた。

ドアの外に押し出されるや否や、マキは、アパートの寝室のベッドの上で目を覚ましていた。明晰夢から、いきなりこの三次元の世界に戻ったマキの意識は、回復するのにしばしの時間を必要とした。寝室の隅の豆電球が目に留まった。暖房の消えた室内は冷える。外は雪だろうか。マキは温かい羽根布団の中から思い切って起きあがり、ぶるっと身震いをした。そして、早足でトイレに急いだ。排尿したいという肉体の要求は、意識が肉体の世界に戻ってくる格好な手段となり得る。ベッドの横の目覚まし時計は六時半を告げている。だが、冬の朝はまだ明けていない。マキは、ベッドにもぐり込んで、再び、夢の世界に戻って行った。

頭上には、紺碧の空が広がっている。どこまでもどこまでも続くブルー。雲ひとつないブルー。目の前に幅5〜6メートルの下り坂。坂の両側にはオレンジ色の瓦屋根の、白塗りの建物が並んでいる。この下り坂をまっすぐ降りて行けば地中海に出るのだと、どういうわけかマキは知っていた。インディゴ色の地中海が。しかしながら、マキの注意は右に延びる細道に向いた。その道は、古い昔の石畳の道。数え切れない足跡を記憶してきた石畳。一歩足を踏み入れたとたん、皮靴の底をキュッと押し上げる丸石のつるつるした感触が、マキの体の中に住む記憶を呼び起こさんとした。どこかで知っていたこの感触。しかし、それはまるで線香花火のように、ふっと消えた。

二階建ての古い建物が、石畳の道の両側に軒を連ねている。互いに面する家の窓は洗濯物の干し紐でつながっており、白いシーツが数枚、建物の間に注ぐ風と陽の中で揺れていた。ノスタルジアが、マキの体を駆け巡った。花柄のスカーフを頭にかむった老女がひとり、道路の右側で椅子に座って編み物をしている。マキに向かって、歯無しの微笑を送った。道を越えた左手で、ふたりの子供が地面に座り、ビー玉のようなものをころがして遊んでいる。ふたりがマキを見上げた。兄妹なのだろうか、姉弟なのだろうか。真っ黒い縮れ毛、褐色の肌、鼻筋の通ったきりっとした顔立ち。ことさらに印象深い黒い瞳が、血のつながりを物語っている。なんと悪意のない目だろう。

その細道は、限りなく続いているようだ。ひとつの村が終わると、次の村が待っているのだ。行く手に続く次の村を眺めて、マキは深いため息をついた。遠くで寺院のものとも教会のものともつかぬ鐘の音が鳴ったかと思うと、ベッドサイドテーブルの電話が鳴り響いた。通訳翻訳エージェンシーからの緊急依頼が入ったのかと思いきや、声の主はさとるであった。

「お姉さん、ヤエさんが亡くなったんだ」

第五話　とり残された鳥の巣

山田町行きの電車の窓から見える二月の冬景色と、おとといの夜、明晰夢の中で見たアメリカ北東部の冬景色の類似性にマキは驚いていた。山田町駅で電車を降りると、みぞれが降りだした。トレンチコートの下にウールのセーターを着てはいるけれど、両足は氷のように冷たい。タエの慣行（ならい）の場――竹筒から流れる温泉湯と、その横に立っている無表情の地蔵仏に横目で会釈をして、マキはヤエの屋敷へと急いだ。


「家族代表として出席して欲しいのよ」

前もって準備していたタエの言葉であった。

「家族代表」を強調した母の狡さが憎らしい。

「わたしもさとるも病気なんだから、あなたに家族代表になって欲しいのよ。いいでしょう？」


母との話し合いは、常に交渉であった。条件ぬきの授与がない。ヤエの死に目に会わなかったどころか、葬儀にも参列しなかったことを、後になってタエが悔いるのは目に見えた事実なのだ。それでもタエは押しとおす。後悔を積み重ねたがっているのか、それとも、後悔の積み重ねから抜け出せないのか、抜け出したくないのか――。

初対面の女性が三人、マキを出迎えた。ヤエのエネルギーが消えた家の中は、裸の木にとり残された鳥の巣のように虚ろだ。台所で煮たり焼いたりする匂いも、横田の爺のコーヒーの香りも、三味線の音色も、和世の洗濯物も、果ては、部屋の壁にかけられた色とりどりの着物も、蒸発してしまったかのよう。母に連れられて、最後にマキとさとるがこの家を訪ねてから十余年が経っていた。

久しく会うことのなかった和世と横田の爺の姿が見えない。

「和世さんと横田さんは？」

だれにともなくマキが尋ねた。三人の女たちが無言で互いの同意を求めた。

「実は、一か月くらい前に、よそに行かはったんです」

「よそって、どこに？」

そこで、最年少と思われる丸顔の女が口を挟んだ。

「和世姉さん、お腹が大きくなって――。ええ、子供ができたんです、横田さんの子供が

――」

驚きのあまりに唖然として立ち尽しているマキに向かって、年長の女が声をあげた。

「おふたりがよそへ行かはった後、おかあさん、ひどう衰弱されて、町医者に往診してもろうたんですが、薬も飲まんと、岩戸の中に隠れはったんです。ご飯も食べとうない、だれにも会わへん――。わたしが様子を見に行ったときには昏睡状態で、救急車に来てもろうて、病院で、とうとう――」

感情が高まると里の言葉が出るらしいその年長の女は、その場でわっと泣き崩れた。


ヤエの葬儀には十名ほどの会葬者があった。簡素な式の後、灰になったヤエの入った骨壺を両手に抱いて帰路についた水色の家の人の姿は、謎としか言いようがなかった。この不思議な人と自暴自棄な人生を終えたばかりのヤエが、どこでどのようにつながっているのか、マキに教えてくれた者はいなかった。

裏庭の川の土手の上に、五人の女性が寒さに震えながら立った。みぞれは止んだものの、背後の雑木林から空風の音がするたびに寒さがつのる。手に持った骨壺を大切そうに撫でながら、水色の家の人が口を開いた。

「ヤエさんが願ったとおりの葬儀でしたね」

生前、口癖のように、

「あたしが死んだら、灰は靴箱に入れて、裏の土手に撒いてくれたら、それでいいんだよ。葬儀屋に大金払うことなんかしちゃダメだよ。人の不幸で金儲けしている連中なんだから」と言っていたのを、マキも覚えている。それにしても、「人の不幸で金儲けしている連中」のひとりが自分であることを、鼻っ柱の強いこの伯母は自覚していなかったのだろうか。

「ヤエさんが望んだとおりに、ヤエさんの灰をこの土に戻します」

水色の家の人が壺の蓋を開けた。すると、白い粉が壺の中から舞い上がって、空風の中に消えて行った。そのとき突然、背後の雑木林から、枯れ枝を踏み砕く荒々しい音がしたかと思うと、いのししが一頭、激しい鼻息を鳴らして一同の真横を突っ走って通り抜けた。最年少の女が、「キャーッ!」と悲鳴をあげた次の瞬間には、いのししの姿はもはや消え去っていた。ほっと安堵の胸を撫でおろした五人の女性のだれから始まったのか、全員が爆笑し、やがて笑いが止まらず腹を抱えて笑いこけた。ヤエさんらしい最期——そう思って水色の家の人を見ると、彼女は空っぽになった骨壺を手に持ったまま、マキに向かってこっくりとうなずいた。

第六話　黄色い目たち

山田町の春は、爆発するようにやって来る。ぐずぐずしていない。他の地域を訪れる春と言えば、暖かい春風が吹き始め、木々の梢には新芽が顔を出し、春よ、春よと浮かれているうちに、はたまた冬の寒さが舞い戻り、それをやっとこさ乗り越えると、待ちに待った春が、

「なにもそんなに急ぐこたあない」

と言わんばかりに、時間のあり余った旅人のゆったりとした歩調で近づいて来るものだが、これは山田町以外の春話にすぎない。そんな悠長な春は山田町には来ないからだ。前日には小雪が降っていても、一旦「春だ」と決断が下されると、翌日には紅い芽の出かけた木々の上で小鳥たちが騒いでいる。そして、二、三日もしないうちに、そこら中に野の花が咲き乱れる。有無を言わせぬ春の訪れ——まさに、これが山田町を訪れる春であった。

渡米の前に、水色の家の人に是非会っておかねばと、マキは再び山田町駅で電車を降りた。五月の空気は一番おいしいとマキは思う。新しい生命が誕生し、生きることに全意識を傾けている。その健気な力強さを、マキは五月の空気の中に感じる。

ヤエの葬儀に家族代表という肩書で参加した翌月、大学時代の友人メリサ・ブラウンからメールがあった。六月の末にヴァージニアへ遊びに来ないかという誘いである。行けるような状況下ではなかった。ヤエの死後、タエの精神不安定症と鬱症は悪化の一路をたどるばかり。処方箋薬品に浸かりきっている。しかも、さとるの持病の喘息も、改善している様子は一向にない。

「今回は絶対に妥協しない」

固く決心して、一週間ほどの旅だからとタエに打ち明けたところ、案の定、返ってきた言葉は「わたしがもっと元気になるまで側を離れてくれるな」という哀願であった。どうしてそんなにも気に喰わない娘、非難を浴びせるしかない娘を側においていたいのか、マキは理解に苦しむ。だが、小賢しいマキの一面は、母に貸した借りを忘れてはいなかった。

「おかあさんに頼まれたとおり、わたし、家族代表でヤエさんの葬儀に出席したでしょう？今度は、おかあさんがわたしの願いをきいてくれる番じゃない」

返答に窮したタエは、開いた口が塞がらないとばかりにぽかんとしていたが、やがて、

「あんたって、鬼のような子だわ」

と言ってそっぽを向いた。そのとき、意外なことには、自分の意見をなかなか発表しないさとるが口を開いた。

「いいじゃないか、おかあさん、お姉さんを行かせてあげたら？　僕がおかあさんと一緒にいるんだから」

母の顔が、あの時折見せる顔、さとるのためにだけ取ってあるあの柔和な笑みに変貌した。そのとき、ふと、ある考えがマキの心をかすめた。さとるは、母のこの一面が表れるための唯一の手がかりなのかもしれない。もしそうであれば、その唯一の手がかりがなかったなら、母は狂ってしまっていただろう。つまり、さとるは、タエが正気を保つために、その役目を承知した上で、それに甘んじているのだろうか？


水色の家の人は、庭椅子に座って待っていた。庭仕事をしていたのだろう、園芸用の手袋をはめ、ゴム靴を履いている。マキが隣の庭椅子に腰かけると、広い庭の向こう側にヤエの家が見えた。大きな屋敷と思っていた家が、今日はやけに小さく見える。

「だれか住んでるんですか？」

マキが尋ねた。

「だれもいないのよ。みんなそれぞれよそに移ったみたいだし」

「あの家もこの土地もどうなるのかしら？」

「わたし、売りに出そうと思ってるの」

びっくりして、マキは横に座っている水色の家の人を見た。子供のような黒い目がくりくりと動いた。

「マキちゃんには、なんにも言ってないのね」


十五歳の春、水色の家の人に出会うまで、大人は皆、黄色い目をしているとマキは思っていた。両親や伯母、横田の爺だけではない。学校の教師も同様に、黄色い目でマキに面した。枯れた植物の葉っぱのように、黄色が褐色になっている目もあれば、灰色に変色しつつある目もあった。いずれにしても、黄色い目の奥からは同じ声が聞こえたものだ。

「ガキのくせに、わかったような面(つら)するな」

黄色い目たちの言うことには真実性がなかった。とくに水色の家の人のことになると、排他的な雰囲気が漂うのであった。

「身寄りがないから、ヤエさんが、あの家に住まわせてるのよ」

「妙なことばかり言うから、他に付き合いもないんだ」

「頭がいかれてるんだから、近寄っちゃダメよ」

ペンシィルヴァニア州のブリンモア大学に留学した二年間は、黄色い目たちの雑音から解放されたときであった。タエは、娘が米国の一流女子大から全奨学金を受けたことが自慢で、二年間の不在を許可した。米国であろうと英国であろうと、雑音から逃れることさえできれば、どこだって良かったのかもしれない。母に連れられて、山田町のヤエの家を最後に訪ねた十五歳の春から米国留学に至るまで、こっそりと内緒で、水色の家の人を訪ねていたマキであったが、アメリカでの二年間、水色の家の人のことすら念頭になく自由を満悦したのだ。

「わたし、母とはなるべく会話を避けているんです。どうしても必要なときだけ、それもほとんどビジネス交渉って感じ。昔から、母とまともに話すってことは不可能だとわかってるから、わたし諦めてるみたい。それで、母がわたしに言ってないことって、なんですか？」

水色の家の人が、園芸用の手袋をゆっくりとはずしてマキの顔を見つめた。爽やかな五月の風の中から、落ち着いた声が聞こえた。

「わたしの父親が、マキちゃんのお祖父さまだってこと」

マキは声にならぬ声をあげて、水色の家の人を見た。水色の家の人の表情はいつもと変わらない。たまたま通りすがりに見たことを報告しているかのようだ。

「父の名前は河沼重蔵（かわぬまじゅうぞう）、南の島で生まれ育ったそうよ」

重蔵という名前は、ヤエとタエの会話の中に時々登場してきた名前だった。祖父の名前だろうと推測はしていたが、「わたしのおじいちゃんのこと?」と尋ねるたびに、黄色い目たちは面倒臭そうにマキを睨みつけて、会話を他に向けるのであった。


父方の祖父母にも、母方の祖父母にも、マキは会ったことがなかった。父親の母は若くして亡くなり、父の祖母、マキの曾祖母にあたる人が、母親代わりに父を育てたということ、そして、この曾祖母は心の温かい優しい人であったという知識しかない。

ところが、既に忘れられた存在となってしまっていた重蔵という過去の人が、黄色い目たちが「妙なババア」と呼んで疎外してきた人、豈図らんや、マキにとっては、生まれて初めて尊敬と信頼の対象となった水色の家の人の父親として、マキの面前に、今や再登場してきたのである。水色の家の人は、ただ単に、事実を差し出したにすぎないのだろうが、家族という組織に無防備なマキの心理にしてみれば、自我の土台が更に揺すぶられる体験でしかなかった。

水色の家の人は、ティーカップを口もとにつけた。レモングラスがほのかに香った。

「なかなかの実業家で、一代で大会社を築きあげた人なの。この家も土地も、父がわたしに遺してくれたんですけど、父が亡くなってからヤエさんに相談を受けて、ヤエさんの商売がここで始まったのよ。彼女は、昔から粋（いき）な女将（おかみ）さんタイプの人だったから、富豪の男性たちからずいぶん後押しがあったみたい」

黄色い目たちの言ったことは、やっぱり嘘っぱちだった。彼らの言うことは、その場逃れの言いわけか、自己を正当化するために相手をこき下ろしているにすぎないと長い間わかってはいたが、まんまと騙されていた自分が歯がゆい。

小柄な婦人は、庭椅子に座り直した。

「母は病弱な人だったから、わたしを産んだ後子供が産めなくなったの。父は、後継者になる息子が欲しかったんでしょうね、女性を外に求めたんです。当時の女性は、結婚して子供を産んで、男に頼って生きるのが常だったから、第二、第三の妻や家族をもっている男性はかなりいたのよね」

「わたしは、妾腹（めかけばら）の子なのよ」

酒に酔うと、ヒステリックに笑いながらそう言ったタエの声が聞こえてきそうである。

「それじゃ、わたしの祖母は、あなたのお父さまのお妾さんだったってわけね」

マキはティーカップをテーブルの上に置いた。自分の声に棘がある。マキは、それを自認している。だれにも知られたくないコンプレックスが自分の内側に今なお生きていることを、相手の情緒をコントロールすることでマキはもみ消そうとする。これも、母譲りのおぞましい性格のひとつだ。

「わたしの母とあなたのお祖母さまの他に、何人の妻と家族を父が扶養していたのか知りません。父が死んだときに、他にも名乗り出た家族がいなかったのは不思議なくらい。もうひとつ不思議だったのはね、これは、むしろ皮肉な事実なんだけど、男の子を欲しがった父に、結局は、男の子ができなかったという事実。あなたのお祖母さまも、女の子ふたりだったのだから」

水色の家の人の爽やかで、しかも落ち着いた語調が、マキの神経をますます苛立たせた。

「それじゃ、わたしは、あなたの姪だっておっしゃりたいの？」

明らかに、マキは憤慨している。しかし、だれに憤慨しているのだろうか？　今日まで黄色い目たちに騙されてきていたことに対してか？　それとも、家族を取り巻く女たちの、マキの上に覆い被せてきた羞恥心に対してだろうか？

水色の家の人は、にっこりとうなずいた。

「そうなの。マキちゃん、あなたは、わたしの姪なのよ」

この婦人と自分の間に血のつながりがある事実を知ったとたん、マキは距離感を覚えた。この人は、もはや水色の家の人ではない、わたしの伯母なのだ。

「父は、当時の日本人の男性にしては珍しく背が高くて、鼻筋のとおったなかなかの男前だったのよ。とにかく頑固な人で――そう、マキちゃん、あなたが彼の風格を一番受けてるみたい。背が高いこと、彫りの深い顔、聡明な頭脳、独立した思考力。なによりも好奇心が強いのは、おじいちゃんそっくり」

「なんですって！」

マキは、音を立てて椅子から立ち上がった。

「わたし、そんな人に似たいとも思わなければ、そんな人の孫でありたいとも願わないわ。

ひとりの人間の野心や欲望で、どれだけの人が不幸になったことか。わたしの祖母も、わたしの母も、ヤエさんも、情けない、惨めな、不満だらけの人生を呪って生きたんですよ」

　マキの声は涙声になってきた。

　しかし、なぜ自分は、母や伯母を庇っているのだろう。この人に向けるべき憤りでないことは十分承知しているはずなのに、マキは爆発してしまった。山田町の春が、有無を言わせずに爆発するように。

「わたしは、そんな人を赦さない。その人の血が自分の中に流れていると思うだけでもいや。わたしは、あなたの父親の孫でもなければ、河沼家とも関係ありません。失礼しました」

　椅子に座ったまま唖然としている水色の家の人を背後に残して、マキは爽やかな五月の中に、重い心を背負（しょ）って去って行った。

第七話　ファイヤーセレモニー

陽が落ちた夏の深山（みやま）はひんやりする。ブルーリッヂキャンプ場の夜空は満天の星であった。静寂の闇夜を、数えきれない星の光が照らす。マキの体がぶるっと震えた。

最後にメリサに会ったのは五年前のことである。マキは十年近くを感じている。メリサは年を増した。自分より一歳年上のメリサが中年の女になっているのを見て、マキは少なからずショックを受けた。少々太り気味のせいもあるだろう。ブルネットの髪には、白いものがあちこちに見える。シャーロッツヴィルのダウンタウンにあるヴァージニア大学のキャンパスからさほど遠くないアパートとの間を、メリサは自転車で通勤しているのだと言った。

メリサのアパートは学生時代のそれと同じで、食卓の上にも、居間の床の上にも、数十冊の本が散らばっており、本と本の間には、書きかけのノートやマグカップが場とり競争をしていた。マキはそれを見て、にやりとした。五年間が多少短縮された気がしたからだ。

だが、積み重なっている本の内容がこれまでと違う。伝統部族社会。その範囲は、アメリカ先住民、シベリア先住民、ポリネシア先住民、ケルト民族、果ては日本の古代縄文文化に至るまで、世界中のシャーマニズムと神話に、メリサはのめり込んでいるようだ。ヴァージニア大学で米国憲法を教えている彼女に、シャーマニズムや神話はどんな関りがあるのだろうか？

　シャーロッツヴィル到着二日後の日曜日、

「今晩、ファイヤーセレモニーがあるから、一緒に行かない？」

　メリサが誘った。

「それ、なんの儀式（セレモニー）なの？」

　と尋ねたマキに、

「わたしの説明より、体験することよ」

　マキは同伴した。


　ヴァージニアをまたぐアパラチア山脈の一部、ブルーリッジは、その名のとおり、青い影を落としていた。シャーロッツヴィルから一時間も車を走らせると、深い森の中。輝く月の光がキャンプ場の駐車場の上を、ヘリコプターのサーチライトのように照らしていたが、やがて木々の間に隠れてしまった。ファイヤーセレモニーに参加する人たちの車が、暗い森の中から次々に到着して、キャンプ場は集まった人々の話し声で昼間の騒ぎと化してしまった。しばらくすると、だれに指示されたわけでもないのに、群衆は、キャンプ場の中央に積み重ねられた焚き木の周囲に円を描いて集まった。

予定通り、九時きっかり、背の高いひとりの女性が、炎の燃えるたいまつを右手にかざして円の中央に進み出た。そして、聞き慣れない言語で、南、西、北、東と、各方角へ向かって順繰りに呼びかけた。四つの要素（エレメンタル）——火、水、大地、大気に向かって挨拶をしているのである。ひとつの方角への挨拶が終わるたびに、集まった全員が「ホ！」と声をあげた。四方角への挨拶が終了すると、リーダーの女性は円の真ん中に立ち、まず、星空に向かって両腕を伸ばし、再び聞き慣れない言語で呼びかけた。取り囲む霊たちに向かって挨拶をしているのである。すると、また、円を囲む全員が「ホ！」と挨拶を返した。最後に、女性は跪き、両手を地面に置いて顔をひれ伏し、地面にキスをした。

「ホ！」

静寂の中で、ひとつになった声がこだました。女性はそれから立ち上がり、右手に持ったたいまつを握り直した。たいまつの炎が中央に積まれた焚き木に触れたその瞬間、ゴオーッという音とともに、闇夜の中に炎が舞い上がった。と同時に、四、五十のドラムが一斉に声をあげた。ドラムのリズムは速くモノトーンであったが、すさまじいエネルギーは目に見えんばかりに生きていた。

ドンドンドンドン――ドラムを持っていないマキはどうすればよいのかわからず、その場に立ち尽くして、ドラムの音に包まれるままになった。やがて、マキの脳波は、ドラムのヴァイブレーションに沿って変容し始めた。ドンドンドンドン――変容していく自分に気付いていている――それが一番良いことなのだ。マキは、自分の体がドラムの音ですっぽりと包まれていくのを知っていた。目まいがしてきた。マキは地べたに座り込んだ。夜露に濡れた大地はひんやりと冷たかった。体がやわらかい濡れた土の中にぼっそりと入り込んで、マキは、快さと保護されているのを感じた。ドンドンドンドン――ドラムの音が踊る、火花が踊る、マキの意識も踊る。マキはいつの間にかブルーの世界にいた。夢を見ているようでありながらも、意識は冴えていた。この世界の現実は、物質世界のそれと同様に生々しかったからだ。

ふたつの体が横たわっている。各々石盤の上に横たわっており、互いの足と足とが向き合っていた。マキはそのふたつの体に近寄って、ぎょっとした。左側はさとるの体ではないか。しかも、もうひとつはタエの体であった。両体ともに命がない。マキは慌てた。あの罪悪感が、容赦なく襲ってくる自分を責めるあの声が、変容したマキの意識の中にまですべり込もうとしたとき、遠くで、ドンドンドンドンドンと鳴り続けるドラムの音が、マキの意識をブルーの世界に連れ戻した。

マキは深い呼吸を続けた。すると、さとるの体に名札が数枚ぶら下がっているのが見える。スーツケースに括り付ける、荷物の持ち主の身分を証明するあの名札だ。マキは、それをひとつずつ手に取ってみた。

名無しの権兵衛さま
嘘つくな、偽善者奴
息が苦しい
大根役者の下手芝居
どうしろって言うんだ?

マキの心臓は、壊れた時計のようにから回りしている。すると、いつ、どこから現れたのか、あの赤鬼と青鬼が、ふたつの死体の傍らに立っているではないか。青鬼は、こん棒の代わりにハサミを手に握っていた。そして、さとるの体に絡(から)みついている名札の紐を、ひとつひとつ丁寧に切り始めたのだ。名札がひとつ切られるたびに、ハサミの音が響いた。その間赤鬼は、タエの体の上に覆い被さり、タエの死に顔にじいっと見入っている。最後の名札が切り落とされたそのとき、タエの死体の両眼がカッと開いた。そして、赤鬼の巨大な腕をタエの手が掴んだ。タエは、その黄色い目で赤鬼の黄色い目を睨んだ。睨み合いの中で、時間にならぬときが過ぎた。突然、タエの黄色い目が微笑んだ。それはもはや、人生に唾を吐きかけるような皮肉っぽいほくそ笑みではなく、柔和な優しさをもっていた。マキは、山田町のあの坂道で、無表情の地蔵仏の前で、母が、温泉の湯を仲介に行った慣行(ならい)の最中に見せた、稀な、しかし正真正銘の穏やかな微笑みを想った。あの柔和な微笑みを受けられるのは、さとるだけではなかったのか？　さとるだけが、その権利をもっている——それがましてや、赤鬼に？

マキはそのとき、水色の家の人が十数年前に言った「時間の表現」を知った。過ぎゆくときでもない、過ぎ去ったときでもない、やがて至るときでもない。今、このときに、このときだけに表現された時空の中で、赤鬼の黄色い目の中に涙がきらりと光るのを、マキは目撃したのだ。

確かに見たのだ。それが事実であろうと、空想であろうと、マキの神話の現実をだれが否めよう。

第八話　ふたりのまさる

タエがすい臓ガンと診断された。マキの帰国後半年も経たぬうちのことだ。ガンは肝臓に転移して黄疸が出ており、極度の疲労を訴えた。医者は二、三か月の余命と宣告した。

そんな土曜日の朝、マキの携帯電話が鳴った。康男である。見舞いに行きたいが、会ってくれるかどうか尋ねてくれということである。五年前、丁度さとるの大学進学が決まった頃、両親の離婚が成立した。家の権利を康男がタエに譲ったことと、相当額の慰謝料を約束されたタエは、離婚同意に及んだ。その後、タエと康男は会っていない。

意外なことに、康男の見舞いをタエが受け入れた。久方ぶりの暖かい冬の日差しと窓の外に見える青空に、いつになく心が晴れたためなのか、それとも、恨みがましい非難を最後まで吐き捨てるつもりなのか、マキには、母の動きが察し得ない。

その日の午後、黄色いチューリップの花束を手に持って、康男がタエの病室を訪れた。父には老いが目立つ。だが、同時に、老いつつある者の丸みも帯びてきている。病室に入って来た康男は、コートとマフラーを脱いで、無言でタエの寝台の横の椅子に座った。赤くなった康男の顔が、外気の冷たさを物語っている。もともとやせ気味のタエの体は骨と皮に衰え、クリームをつけてはいるものの、病んだ体の皮膚は干からびて、口と目の周りはことさらに皺が深い。どす黒い紫色に膨れたタエの左手を、康男の両手がそっと握った。その場に居合わせたマキは固唾を呑んでこの光景を見守っていた。タエの目が開いた。タエは、康男の両手を振り払わないどころか、力なく、康男に向かってうなずいた。そして、細い声が、

「生きるのがしんどい」

と言った。康男の両手が、タエの左手を握り直した。

「まさるたちに、また会えるかしら」

タエはそう言ってから、再び目をつむった。

「ママは確かに、『まさるたちに、また会えるかしら』と言ったわよね？」

康男がタエを見舞ったその夜、マキは父親と、レストラン・ミッシェルで夕食を共にしていた。こぢんまりとしているが、なかなか洒落たフレンチレストランだ。店主がテーブ

ルに近づいて来て、

「三田さん、いらっしゃいませ」

と挨拶した。

「常連さんなの、パパ？」

フレンチワインよりも、アルゼンチン、メンドサ産のマルベックを好むマキのために、赤ワインをグラスに注ぎながら康男がうなずいた。

「料理がおいしいし、それにとても落ち着くんだ、ここは」

父娘が座っているテーブルはレストランの奥の隅で、他のテーブルから隠れた位置にあった。康男は、ここで食事をするときは、このテーブルを指定する。

「ひとりで来るの？　それとも、お付き合いしている人がいるの？」

マキの質問は、いつもずばりと的を射る。康男は一瞬考えてから、

「まさるたち、とママが言ったことについてだが」

マキの質問をはぐらかしているのは見え見えだが、マキは含み笑いをして、それ以上追及しなかった。

「長男のまさるが肺炎を患って二歳半で死んだことは、前にも話したことがあるから覚え

ているだろう。一番愛くるしい時期だったんだ。それ以降、タエは、精神的に立ち直れなくなった。しかし、理由はもうひとつある」

康男は、テーブルの上にあったビニール袋を破っておしぼりを取り出し、目の周りを拭った。

「タエには弟がいたんだ。二歳になる前に肺炎で死んだそうだ。この弟の名前もまさると言ってね、タエにとっては、大切な弟だったらしい。ふたりのまさるが、同じ肺の病気で、幼児期に死んじゃったんだ。信じがたい不思議な事実だ」

水色の家の人は河沼重蔵には男の子が授からなかったと言ったが、彼女は、タエの弟の誕生を知らなかったのだろうか？

「河沼家の事情をマキは知っているかな。河沼さんは、後継者になる息子が欲しかったらしい。河沼さんの本妻さんは病弱で、女の子をひとり産んで、その子がまだ中学生のときに亡くなられたということだ」

マキは口の中が渇くのを覚えて、ワインを口に含んだ。

「おばあちゃんがお妾さんだったことは知ってるわ」

康男がうなずいた。

「おばあちゃんは養育費を受け取ってはいたが、河沼さんのことを相当恨んでいたようだ。タエの弟が生まれたときも、男子の誕生を報告しなかったようだからな。あの大会社を継げるんだったら、連絡してもよさそうなものだと思うだろう。妙な話だよな。

長男のまさるが生まれたとき、タエは、このことを初めて僕に打ち明けたんだ。弟が生まれ変わってきたんだから、やっぱりまさると名付けると言い張ってね。それから、これは、ある時、タエがふと口にしたことであやふやなんだが、一番目のまさるは、どうも、河沼さんの息子ではなかったみたいなんだ。

『それじゃ、父親はだれだったんだ？』

とぼくが訊くと、タエは、

『まさるは、わたしの弟だって言ったでしょ！』

大声を張りあげて、それ以上、決して喋りたがらなかった。

おばあちゃんは病気がちだったから、タエが母親代わりに弟の面倒をみたらしい。わずか十三か十四の子供が、赤ん坊の世話をしたって話だ」

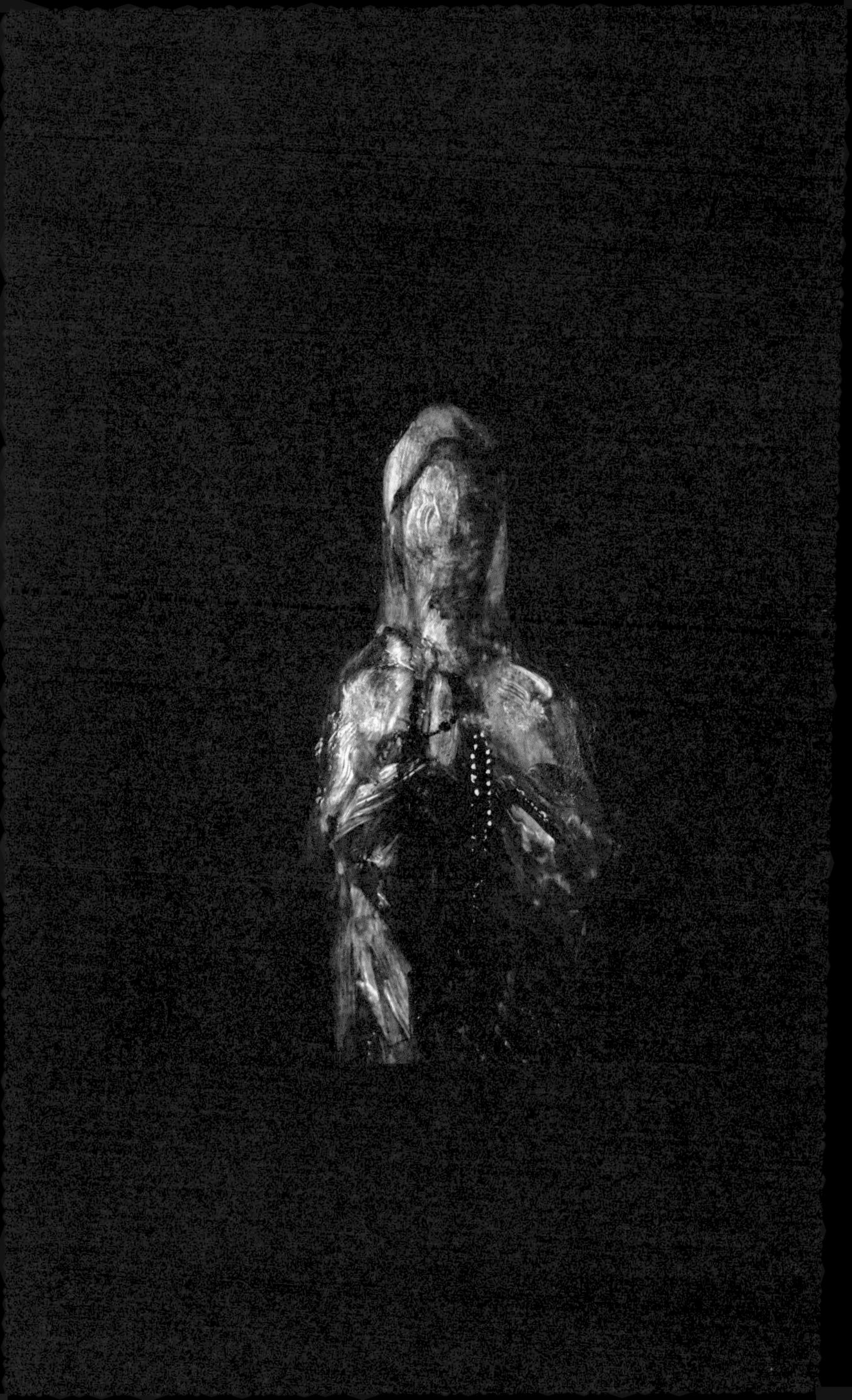

ワインよりもビールを好む康男に、二杯目のジョッキが運ばれてきた。

「いやあ、それにしても、タエは愛する人を次々に失ったんだ。ふたりのまさる、僕も彼女の父親も、その中に入るだろう。もともと神経の細い彼女には、耐え難い苦痛だっただろう。運命の女神に、自分は見捨てられたと言って嘆いていたもんだよ」

康男がふーっとため息をついた。

「ふたりのまさるを失った後に生まれたのが、女の子のわたしだったってわけね」

つぶやくように言ったマキの声は、康男の耳に届かなかった。

（わたしが男の子だったなら、母は、わたしを溺愛しただろうか？）

自分に投げかけられる母の苛立ちの真相が、うっすらと見えてきた感じがする。

マキの内側で問いかけるものがあった。

（病気がちだった祖母が、三人目の子供を産めたのか？

一番目のまさるの生命は、だれの子宮の中で育ったのか？

わずか十二か十三歳の少女タエの未成熟な子宮の中で育ったのか？

それとも、姉ヤエの中に、まさるは宿ったのだろうか？

父親は？　その正体を知る者はだれもいない。知っているとすれば、恐らく、タエのみであろう。だが、タエの口は閉ざされたままである。秘密は永久に葬られるのだ）

コールタールと人間の血が混ざりあったドロドロの液体の中で、マキの問いかけがブスッブスッと泡を吹く。

康男の声が続いた。

「三十年、タエの鬱と不安定な情緒に耐えたが、僕には、それ以上我慢ができなかった。すまん。

タエは、母親とヤエさんから、他人を信用するなって叩き込まれたようだ。裏切られたり、屈辱に耐えなければならなかった、その結果だろうな。血は水より濃いって言うだろう。血のつながっていない人を、僕も含めてだが、決して信用しなかった。あの懐疑心は、三人の女性が団結する動機になっていたのかもしれない」

でも、その団結の結果には、なんにも良いことが生まれなかったじゃないのとマキが言おうとしたのを、康男が受けて喋った。

「彼女たちのよそ者に対する不信感が、身内間の信頼感を強めたかというと——これは大きな疑問だな。タエは、ヤエさんに洗脳されるような目にあうと、むきになって反抗したのだから。そのくせ、また、ヤエさんのもとに戻って行った。結局は、三人とも、まず、自分自身を信頼していなかったのだろう」

康男は、もう一度、おしぼりで目の周りを拭った。

「さとるが生まれたとき、僕は、まさると名付けるのを絶対に許さなかったんだ。さすがのタエも、それには妥協してね」

「さとるは、このことを知ってるの？」

「知ってる。あいつが研究室に行かない日には、時々、ふたりで昼飯を食ったり、釣りに行ったりしてるからな」

マキの胸のあたりがキリッと痛んだ。そして、六月に渡米したときに、シャーロッツヴィルのアパートで、メリサがこんな話をしたのを思い出した。

第九話　ブルーとの出会い

「古代のハワイ人は、人間には三つの意識があると信じていたのよ。ひとつは、潜在意識と呼ばれるものに一番近いかもしれない。古代ハワイのフナ思想によると、これは人間の肉体を司るもの。遺伝子による肉体や性格のデータ、人生体験のデータ、それだけではないのよ。前世のデータまで、この潜在意識の中に保存されているということなの。幼いときに繰り返し教えられたことや、環境から学んだことも、この潜在意識に蓄えられるの、良いことも悪いことも。これを基として、人はその信念を築きあげていくし、その信念に基づいて、その人の現実も作りあげられていくのよ」

メリサの語調は、大学教授のそれになっていった。

「ふたつ目のマインド意識というのは、知性、考える意識、とくに、判断したり決心したりする意識。過保護に育てられたり、だれかが子供の代わりになにもかも決めてあげたりしていると、その子は大人になっても、判断する、決心する能力に欠けて、いわゆる優柔不断な自信のない人間になってしまう。そして、例えば、親とか教師、会社のボスといった権力者の言いなりになってしまうのね。言われたとおりに生きていれば、人と衝突することもないし、生活に支障はないんだけど、自分の人生を生きてはいない。そのような人たちは、体制、例えば、国家、宗教団体、企業組織にとってみれば、扱いやすい人たちなわけ、チャレンジすることがないから。マキやわたしは、素直に服従しないから体制から嫌われるの」

メリサの大笑いにつられてマキも笑った。

「三番目の意識がハイヤーセルフ、わたしの本来の意識、真のわたしよ。ハイヤーセルフは、インスピレーションの源、わたしたちのベストフレンド、ベストカウンセラーよ。わたしたちはそこから来て、そこへ戻って行く。肉体にいる間に、この三つの意識がお互いの機能と能力を認め合い、合体して働けば、その人の全体像が、バランスの取れた人格に変貌していくのよ。なにかに向かって無我夢中に突っ走ったり、逆になにをしていいのかわからず途方に暮れたりする自分を知らない生き方ではなくて、目的をもって、この人生を享受できるってわけ」

「メリサは、それを実行しているの？」

「実行するもなにも、わたしの場合はマインド意識が頑固すぎて、すぐに潜在意識に命令しようとするのよ。例えて言うと、わたしのマインド意識は、なにもかもコントロールしたがる上司って感じ」

メリサがもう一度大笑いしてから、ピザを口の中にほおばった。メリサの大笑いは昔からのことだが、その笑いの中に、

「くそくらえ！」

と叫ぶ声が聞こえるのだった。

「コントロールしたがるマインド意識っていうのは、潜在意識が秘密にしているなにかが表面化するのを怖がってるからじゃないかな。怖いから、コントロール過剰になる。恐怖が土台になっているのよ」

そう言ってから、メリサは首を振った。脳裏をかすめたなにかを払いのけるような仕草であったが、マキは敢えて追及しなかった。相手の心の内を根掘り葉掘り探ろうとしない、これがふたりの友情の真髄であろう。


「わからないことだらけなのよ、わたしたち人間には。わからないことばっかりの中で時々考えるんだけど、この世界に生きている大多数の人たちが、自分のハイヤーセルフ、本来の自分を知らないで生きているという事実。そんなものがあるなんて、知らないどころか、知りたくもないんでしょうね。もちろん、中には、天使や守護神に救われた体験をした人

たちもいるようだけど、救いは外からではなくて、自分の内側にあるんじゃないかしら。それにしても、あなたは神聖な人ですよ、神の似姿ですよと言ったら、ほとんどの人が、とんでもない、わたしはそんな尊い存在ではございませんと、一笑に付すでしょうけどね。

多くの人のハイヤーセルフは、その存在を認識されないまま、無意識の暗い冷たい牢獄の隅でうずくまっている。限りない可能性をもったハイヤーセルフ、わたしたちの真の存在は見捨てられたままなのね」

「見捨てられたまま」というこのメリサの言葉に、マキの心臓がドキリと高鳴った。

「端的に言えば、その人の姿がハイヤーセルフに表現されるんじゃないかな。その逆も言えると思うけど。もちろん、これはあくまでもわたし個人の考えなんだから、他の人たちには真実でないかもしれないのよ。絶対的真理なんてない、すべて相対的な真理なんだとわたしは思ってきたから。わたしの神話にすぎないの。でも、わたしにとっては大切な神話」

「それで、メリサのハイヤーセルフって、どんな感じなの？」

「そうねえ」

メリサはビール瓶を口にして、にやりとした。

「そうねえ。エネルギーは無形なんだから、形で説明はできないのよ。でも、わたしたち人間が理解できるように、シンボルとかメタファーで把握できるのね。もちろん、知性を超えた時点で納得するとか、はっとわかるってこともあるわ。マキは、ファイヤーセレモニーで、それを体験したんじゃないの？」

「うーーん、そうかもしれない。まだわからない」

メリサがうなずいた。メリサも、ここで敢えて追及しようとしない。

「それで、メリサのハイヤーセルフのシンボルは？」

「わたしのハイヤーセルフは、ブルーの光なの。固定した形はない。そのブルーは、わたしに深い安心感をくれるの。励ましてくれるときもあるのよ。もちろん、わたしがそうして欲しいと願うから、そうなるんだろうけど。それじゃ、わたしが想像（イマージン）してるだけじゃないかと思うかもしれないけど、でも、わたし、自分のイマジネーションと対立することをとっくにやめてしまったの。イマジネーションはわたしの味方なの。イマジネーションは作り話やでっちあげではなくって、わたしをもっと深い理解へと誘ってくれるきっかけ、手順になるのよ」

マキは、水色の家での最初の体験を思い出していた。メリサは、安心感とか励ましという言葉を選んだが、マキにとっても、ブルーとの出会いは解放と保護であった。しかし、メリサのブルーとの関係にはもっと深い事情があるのを、その時点でマキは知らなかった。

「現在は、その三つのわたしの意識を、外側から傍観する、目撃することができるように自分を訓練しているのよ。人間が争うときには、その客観性がないから、怒りとか、憎しみとか、ジェラシィといった感情そのものになってしまう。つまり、感情にコントロールされた状態と言ってもいいし、感情の中に浸りきってしまった状態と言ってもいい。そういった感情がちらりと意識の中に覗いたとき、数歩退って、その感情を傍観すればいいの。そのとき大切なのは、自分を決して裁かないことね。ただ、黙って眺めているだけ。この傍観性がもっと成長してくれたらいいんだけど、わたしって、典型的なアイリッシュで短気者だから」

メリサとのこの会話を思い出しながら、マキは考える。

時間も空間も、幻想にすぎないのではないか。水色の家の人は、時間はこの現実内では確立したものであるが、別の現実では、違った姿で表現されるのだと言った。空間も然りだろう。とすれば、夢の回想は、秩序正しく、線に沿って進行するのではなく、むしろ、紙袋の中に入った夢が、時空の基準なく、ポンと放り出されるのではないか。過去に起きた出来事を思い出すときも同じだとマキは考える。過去になった時点で、その出来事は、この現実の時間と空間にとらわれないのだ。シャーロッツヴィルでのメリサとの会話の思い出が、そうであった。


「マキ、どうしたんだ？　大丈夫か？」

眉間に皺の寄った康男の心配顔を目の前に見て、マキは我に返った。

「パパは、さとるの心の支えになってくれていたのね」

嫉妬の影は、マキの心から既に消えていた。

「いや、そうじゃないよ、会ってもあいつはなにも喋らないんだから。むしろ、さとるの方が、僕の心の支えになってくれてるんだと思う」

康男は、そう言って笑い、ジョッキのビールをぐいと飲んだ。ビールの白い泡が唇の上に残った。テーブル越しにマキが拭おうとすると、康男が大慌てをして、

「おいおい、俺は子供じゃないぞ」

と顔を赤らめた。

「さとる、大丈夫かしら、ママが逝っちゃったら」

マキが、折れるような声でぽつんと言った。

「大丈夫だ」

父親の声には、マキのそれとは対照的な確信があった。マキはびっくりして、皿に盛られた肉をナイフで切っている父の手もとを見た。

「大丈夫でないかもしれないのは、マキ、俺とお前だ」

マキは、二度びっくりした。

「どこの星からやって来たんだろうって、さとるのことを考えたことがなんどもある」

マキにも、その覚えがある。

「二度あることは三度あるって言うだろう。さとるを失うことを、タエはいつも恐れていたんだ。過保護になるから、俺はなんども注意したんだが、タエは人の言うことなど聞かない人だ。あいつが高校生のときから、釣りに誘ったりして、なるたけタエから距離をとらせようとしたんだが、それも、俺の老婆心ならぬ老爺心だったな。星に興味が向いたのは、その意味でも良いことだった。

だが、不思議なんだなあ。どういうわけか、さとるは常に距離を保っていた。いや、これは、母親との関係だけではないんだ。母とか、父とか、姉とかいった結びつき以上のところで、人間関係を認識しているんだろうなあ。もちろん、これは、僕の想像にすぎないんだが。いや、認識にはなっていないのかもしれないな。知性で理解してるんじゃなくって、それが、あいつの本来の姿なんだろう」

稀ではあったが、タエが時折見せる優しい微笑みをマキは想っていた。タエのこの一面は、もしかすると、メリサが言ったハイヤーセルフの瞬間的な垣間見なのかもしれない。束の間のその微笑みを、タエがさとるだけに与えたのではなくて、さとるだけがその受け方を知っていたのだ。正真正銘の母の優しさの受け方を、さとるは知っていたのだ。そして、タエは、さとるのその知識のゆえに、彼女の意識の中ですら明らかになっていないほんとうの自分を、本能的に表現できる瞬間をもつことができたのかもしれない。それが彼女に残された唯一の生存する方法だったとしたら、母がさとるに示す特別の愛情に対して、マキは嫉妬する立場にあるだろうか。

康男は、そこでもう一度ため息をついた。

「だが、いつか、逃げ出すときが来るかもしれない。家族という胡散臭い絆を切り刻んで逃げ出すときが来てもおかしくない。ぼくも逃げたんだから。マキ、そのときが来たら、止めないで、さとるを逃がしてやろう、な?」

康男はそう言ってから、赤くなった目をマキの方に向けて微笑もうとした。マキは、そのとき、ファイヤーセレモニーで見たさとるの名札のヴィジョンが、康男の息子に対する父親としての愛情と溶け合うのを感じた。

それから三日後、火曜日の早朝、タエの息が切れた。

第十話　大蛇が遺した光跡

あっさりとタエは逝った。彼女の性格とは裏腹の逝き方であったと言っていいだろう。家の中から大きな家具が急に姿を消して、その家具が占めていた空間をどう埋めてよいのかわからないというのが、その後の三田家であった。長い年月会わなかった親戚や、初対面の母の旧友、知人に接して、なるほど、葬式は古い関係を呼び戻すというのはほんとうなんだと、マキは実感する。

会葬者の中に、どこかで見たような人がいた。式の進行中も、マキはその女性のことが気になって、なんどか振り返ってみた。だが、記憶は戻らない。そうしているうちに、最期のお別れをする人の列が棺に向かって並んだ。タエの死に顔は美しく化粧され、闘病中よりはるかに若返っていた。だが、これはもはやタエではない。抜け殻が横たわっている。河沼重蔵の面影が、タエの死に顔に如実に記憶されている。「彫りの深い顔」と水色の家の人が描写したとおりだ。ある写真家が、世界中の国々、殊に、辺鄙な山奥、海岸沿いの村落、砂漠やジャングルに住む部族社会の中に、目を見張るような美女たちを探し求めて撮り続けた写真集を、マキは高校生のときに手にしたことがある。そのグラビアは、写真家の二十数年の努力の成果であったが、中でも、北アフリカ、地中海近辺に住むアラブ人村落の写真が、マキの目の中に跳び込んできた。多分、十五、六歳だろうか、ひとりの少女の目が、マキの目を捕らえて放さなかった。「したたかな目」と表現するのが適切であろうその少女の目は、獲物を捕らえた鷲のように、マキの目を容易には手放さない。胸をえぐられるほどに美しい「彫りの深い顔」なのだが、あくまでも油断のできない顔だ。

抜け殻になってしまったタエの顔と、あの少女の顔とが重なり合うのを意識しながら、水色の家の人が言った「河沼重蔵の生まれ育った南の島」とはどこの島だったのだろうかと、マキは思い巡らす。

棺の反対側に立っていたさとるが、花瓶にいけられた白い薔薇を一本取り上げて、茎を半分に折った。そして、その白薔薇を、タエの胸の上に置いた。ファイヤーセレモニーで見たあのヴィジョンをマキは思い出していた。さとるとタエの死体が並んでいたあのヴィジョン。さとるの体に結わえられていた数枚の名札を、ひとつひとつハサミで切り落としていたあの青鬼。

そのとき、なぜか理由もなく、メリサの顔がマキの脳裏をよぎった。

「和世姉さん！」

マキは素早く棺の側を離れて、気にかかる女性を会葬者の中に求めた。のんびりとした性格の、優しくて美しかった和世姉さんがわたしのおかあさんだったらなあと空想した子供のときのファンタジーも、同時に蘇ってきた。生まれた子供は一歳前後になっているはずである。横田の爺は、思いやりの深い亭主になっただろうか。子供を連れて釣りに行くことがあるだろうか。ドアを開けて外に出てみたが、夕暮れの冬の中にはだれの姿もなかった。

その夜、夢を見た。ブリンモアからセプタ電車に乗って、終点の69丁目駅に着いたマキは、「69丁目地下商店街」と日本語で書かれた看板の下に立っていた。以前、明晰夢のなかでここに来たことがあるのを、夢の中のマキは覚えていない。

看板の字が日本語だ。首を傾げつつ、地下商店街に足を踏み入れた。右手の角にラーメン屋がある。ラーメンの湯気を顔に浴びながら、ふたりの男がカウンターの椅子に座って、麺を啜っている。ここでラーメンを食べようか？　いや、もう少し先に、もっとおいしいラーメン屋がある。どうしてそれを知っているのか、マキは不思議に思っていない。買い物客の行き交う商店街は混雑しており、しかも薄暗く、ねっとりとしているが、声がない、音がない。食べ物がずらりと並んでいるにもかかわらず、臭覚を刺激する匂いもない。

左手にかき氷屋の宣伝が、どぎつい色の電灯を放っている。その店の横に、Exit と英字で表示された出口があった。マキは、その出口の方に行かなければならないと思った。ドアの横にサングラスをかけた背広姿の男が立っている。日本人ではなさそうだ。どこの国から来たのだろう。男は、マキが近づいて来ると、片手でドアを開け、もうひとつの手をドアの外に向かって差し伸べて、

〝Sweet Dreams〟

と礼儀正しく言った。マキは、サングラスの男に軽い会釈をして外に出た。

ドアの外は別世界であった。紺碧の空が果てしなく広がっている。目の前は下り坂で、両側にはオレンジ色の瓦屋根の、白塗りの家が建ち並んでいた。ふと気付くと、メリサが横に立っている。メリサは白い水着を着ている。ゴム草履を履いて、麦わら帽子をかぶり、サングラスをかけている。片手にはビーチチェア、もうひとつの手には、タオルやサンスクリーンを入れたかごを抱えている。

「マキ、ビーチに行こう！」

インディゴ色の海に向かって、メリサがそう言った。にもかかわらず、マキは、右手の細道に向かっていた。

幅2〜3メートルの道は古い石畳だ。一歩足を踏み入れると、丸石が靴の底を押し上げた。二歩、三歩、そして四歩と歩数が増してくると、足の底に入れ墨を刺された感覚があった。白いシーツが、建物に挟まれた空間の中でゆらりゆらりと揺れている。ノスタルジアがマキの胸を締めつける。一軒の家の前で、スカーフをかむった老婆が椅子に座って編み物をしている。老婆は目を上げて、マキに向かって微笑んだ。なにか語りかけたようであるが、歯無しの口から出る言葉は理解できなかった。マキが「わかりません」というジェスチャーを送ると、老婆は、くっくっくっと笑った。子供がふたり地面に座り、ビー玉のようなものをころがしている。兄妹なのか、姉弟なのか、それとも双子なのかもしれない。浅黒い肌と黒い縮れ毛、アラブ系の子供かも。ふたりの瞳は真っ黒い星のように輝いていた。

そのとき、予期せぬことが起きた。石畳の道の右側で編み物をしている老婆と、左側で遊んでいるふたりの子供の中間に、突然、穴が開いたのだ、音もなく――。それどころではない。その開いた穴の内側、つまり、地面の下から、この世のものとも思えぬ巨大な蛇の頭が、火山の噴火のごとく跳び出て来たのである。細道は、いきなり広い大通りに拡大したかのようであった。大蛇の体の輪郭は光り輝くエネルギー体で、その巨大さといったら、龍のそれである。爆発的登場であると言っても大仰ではない。にもかかわらず、物音ひとつたてない大蛇の動きは流れるようになめらかで、右端で編み物をしている老婆の頭上を跳び越えた。その瞬間、老婆の背後で、二つ目の穴がぱっくりと口を開けた。大蛇は、その穴の中にすんなりと急降下して行き、あれよあれよという間に地下にもぐったかと思うと、向かって左側に進み、最初の穴から再び地上に姿を現した。そうして今度は、左側で遊んでいるふたりの子供の頭上を跳び越えた。そうすると、子供たちの背後に、またもや、三つ目の穴が口を開けた。子供たちの頭上を跳び越えた蛇は、その三つ目の穴の中に、今一度もぐった。マキの心臓は破裂せんばかりだ。恐怖ではない。言葉に尽くせぬこの神秘な光景を、どのように解釈すれば良いのだろう。

「光の色」と言う以外に説明の仕様がない大蛇のエネルギー体は、またしても、道の真ん中で口を開けたままの最初の穴の中から跳び出て来た。老婆の頭上とふたりの子供の頭上を跳び越えては地下にもぐり、はたまた地上に現れては、跳び越える――大蛇は、あたかも、なんらかの目的に向かって一心不乱に動いているようだ。その動きが何回繰り返されたのか、知る由もない。それにしても、この出来事の真っただ中にいる老婆とふたりの子供はと言えば、この大事件に注意を払う意思なぞさらさらないのか、編み物とビー玉ゲームに興じたままである。大蛇の動きが、そのとき、突然、ぴたりと静止した。そして、目の前の空間には、蛇のエネルギー体が遺していった光り輝く光跡のみがあった。

しばらくのときが経ったのだろう。それとも、それは数秒間の出来事にすぎなかったのかもしれない。大蛇が遺していった光跡は少しずつ薄らいで、やがて、目に見えるか見えないかの小さな白い点に消えてしまった。

次の瞬間、マキは村境に立っていた。どうしてここが村境だとわかるのか――夢の中だけで可能な理解。石畳の道は終わることなく続いている。ひとつの村から次の村へ。そのとき、白い胸当てをつけた山田町のあの地蔵仏を、夢の中のマキの目がとらえた。村境の道辺に立っているのだ。その前に硬貨がひとつ、どこの国の硬貨なのかわからない。次の瞬間、地蔵仏の前にマキが座り込んだのか、それとも、マキの前に地蔵さんが座り込んだのか、それもわからない。いずれにしても、目じりの切れた細長い目が、マキの目を覗いていた。その目は、確かに、マキの目を見据えている。見据えているのだけれど、その目の意図は、別のところを見つめていた。

「さとる！」

マキは、自分の大声で目を覚ました。

第十一話　エメット・デイスターの告白

再び春がやって来た。公園の歩道の脇に、ラッパ水仙の黄色い顔が春風に揺れている。咲き誇る梅の香り。もうじき桜も春を唄うだろう。小さな白い蝶が二羽、からかうようにマキの周りを一周してどこかへ飛んで行った。動き出した。眠りから覚めた生命たちが、いよいよ動き出した。

締め切りの迫った翻訳の仕事で夜中の二時過ぎまで働いていたマキの脳が、暖かい春風の中で大きくあくびをした。アパートから歩く距離にあるこの公園には、人ごみの少ない午前中に来る。こぢんまりとした公園の中心には小さな池があって、その周囲をぶらぶらと歩きまわり、いつものように公園の近くのカフェに立ち寄った。若い夫婦が営んでいる店で、酸味の少ない豊かな香りのコーヒーが店の自慢だ。

公園に面した椅子に座ったとき、サイモン&ガーファンクルの歌声が流れてきた。このザ・サウンド・オブ・サイレンス（The Sound of Silence）は思い出のある歌だ。ブリンモア大学二年目の夏、アメリカ人の社交好き、パーティ好きにうんざりしていたマキが、仏頂面してメリサに訴えたことがある。
「嬉しくもないのに、どうして、始終ニコニコしてなきゃならないの？　今度だれかが、『マキ、どうしたの？　ハッピーじゃないの？　スマイル！』なんて言ったら、わたし、黙っていない、ぶっとばしてやる！」

アメリカ人の女の子をぶっとばしている日本人のマキを想像して、メリサが吹き出した。

（マキだったらやりかねないかも）

そう思ったらますます笑いが止まらなくなり、メリサは涙を流して笑った。大笑いをした後で、たちまち真面目顔になったメリサがこう言った。

「パーティで大騒ぎして喋りまくっているあの子たちの裏側が見えないの、マキ？　アメリカ人の心理（サイキ）には、コインの表と裏があるのよ。あの大騒ぎはその表側だけ。裏側では皆淋しいのよ」

そうして、愛用のギターを弾きながらメリサが歌ったのが、このザ・サウンド・オブ・サイレンスだったのだ。Hello darkness, my old friend で始まるこの歌は、やるせない歌だった。

心理（サイキ）に表と裏があるのはアメリカ人だけではない、全人類に通じることだろう。

メリサが言った「無意識の暗い冷たい牢獄の隅でうずくまっているハイヤーセルフ」は、裏側の心理（サイキ）のことなのだろうか。スイスの心理学者カール・ユングが言ったように、個人の性格を知ることだけが自己認識ではない。無意識とその中身を知ることを含めて、初めて、自己認識と言えるのだろう。とすれば、自分を知っている人はほとんどいないのではないか。ユングは、夢を分析することによって無意識の語らんとすることを研究し、

「夢は、無意識の心理（サイキック）活動表現である」

と言った。

古代の人々が夢を疎かにしなかったのは当然のことである。夢は、無意識の語ることを意識が手中に収める大切な表現術なのだ。

夢の中で見た69丁目のオリエンタル食品店街での出来事を、マキは思い出していた。そこでは、人の声も、物音も、食べ物の匂いも、マキの想像から生まれたものだった。それでは、突然耳に聞こえた女のあのすすり泣きは、どこで生まれたものなのだろう?

（あれは、わたしのハイヤーセルフの忍び泣きか？　あの夢は、無意識の暗い冷たい牢獄の隅で、うずくまって忍び泣きしているわたしのハイヤーセルフの表現か？　十五年前、水色の家の人は、無意識の中の生きものがメッセージを携えて、夢の中に現れることがあ

ると言ったではないか。その生きものとは、なんなのだろう？　わたしのハイヤーセルフなのだろうか？　メリサは、その人の魂（エネルギー）の特徴が、ハイヤーセルフに表現されるのではないかと言いたかったのだろう。その逆も言えると言った。その人のハイヤーセルフの姿が、その人の魂の品性になると。あの女のすすり泣きが、暗い牢獄の隅でうずくまっているわたしのハイヤーセルフの忍び泣きだとしたら、わたしの無意識の心理（サイキ）は、孤独感に震えているのではないか）

（山田町に行かなくっちゃ、春が来たのだから。そして、水色の家の人に、わたしの無礼を謝らなければならない）

　マキは椅子から立ち上がった。掲示板の前で、若い男女がケラケラと笑っている。彼らが外に出た後、マキは掲示板に貼ってあるローカルのイベント紹介を読んでいった。その中に、詩がひとつ紹介してある。

くたばっちゃったら終わり（the end）だと？
とんでもねえこと言ってもらっちゃ困るねぇ

おめえの頭、腹がすくこと知らねえんだろう
博士号だのドクターだのって、
肩書一杯、腹一杯
夜空の星が歌うのを、聴いたことがあるのかい？
屋根の下のクモの糸
てめえの運命（さだめ）を知ってるんだぜ
なあ、よそ行き面（づら）はもうやめな、
持っていけるものでもないんだぜ
銀行口座も家柄も、
みんなふわっと消えちゃって、
なにが残るか知ってるかい？
今夜の夢に訊いてみな

アパートの郵便受けを開けたときには、既に午後一時に近かった。チラシやパンフレットに交じって、分厚い封筒がひとつあった。差出人は、エメット・デイスター。ヴァージニア州、シャーロッツヴィルだからメリサに違いないのだが。封筒を開けると、ワープロ

でびっしりと書かれた印刷文があった。

【わたしの大切な友、マキ】

やはりメリサである。

【シャーロッツヴィルで再会してから、九か月が経ちました。その間、あなたは、おかあさまを失くしたのね。国際電話をしようかと思ったけれど、わたし自身が困難な状況の真っただ中にいたため、お悔やみの言葉もおくれずにごめんなさい。赦してください。その後どう？　元気でいるの？
これから書くことは、わたしの個人的なことなので、メールではなく、郵便で送ります。

わたしは、とうとう、両親を勘当しました。「とうとう」と書く理由は、両親と絶縁することを、長い間考え続けてきたからです。あなたがシャーロッツヴィルに来る前から、わたしは法的に改名する手続きをとっていました。その手続きも、そろそろ完了する予定です。わたしの新しい名前はエメット・デイスター（Emmet Daystar）。どう？　素敵な名前でしょう？　新しい人生のスタートラインに立っている気持ちよ】

子供が親を勘当する？　そんなことができるのだろうか？

マキは、ソファに腰をおろした。


【あなたも知っているように、わたしは、アメリカの上流階級の家族の長女として、なにひとつ不自由なく育ちました。外見だけはね】


大学生の頃、マキは、ニューヨーク市から二時間近くドライブしたところにあるブラウン家を訪ねたことがある。広大な土地にスイミングプールやグリーンハウスがあり、玄関を開けると、きらきらと輝く大きなシャンデリアの下で、映画スターのようなメリサの母が、

「ウェルカム、マキ！」

と迎えてくれたのをよく覚えている。お抱えのコックがおり、メイドがふたり、それに庭師がひとり雇用されていた。ピザにかぶりついてビールで流し込むメリサが、こんな大金持ちのお嬢さまだったとは！

【金持ちの娘として育ったのには間違いありません。わたしの父親は、マンハッタンに法律事務所をもつ著名な弁護士で、週末になると、ニューヨーク市から帰宅していました。

わたしが八歳のとき、ある夜、両親はパーティに出かけて十二時過ぎに帰宅したようですが、わたしはぐっすり眠っていました。するといきなり、ベッドにだれかが横になったのを感じて、わたしは目を覚ましました。父親でした。

「お休みなさい」

と言いに来たのかなと思いましたが、とんでもない。父は、

「メリサ、ダディはメリサを愛してるよ」

と言って、わたしの体を愛撫し始めたのです。その夜から始まりました。わたしは夢を見たのだと思いました。そして、だれにも、この悪夢について打ち明けませんでした。

それからほぼ三年間、わたしが十二歳近くになるまで、父はニューヨーク市から帰宅するたびに、わたしのベッドルームを訪ねました。父は、わたしを愛していると、なんどもなんども繰り返しました。わたしは、まるで、父親の魔術にかかっているようでした。言い難い羞恥心と同時に、わたしは父親から特別の愛情を受けているんだ、父は、妹よりもわたしをもっと愛しているんだと自分

自身に言い聞かせていました。

父の性欲はますますエスカレートして、わたしは、自分の父親によって処女を奪われました。学業はもちろんのこと、その他の活動にも集中できなくなっていきました。鬱症はひどくなり、成績はみるみるうちに惨めな状態になっていきました。と同時に、些細なことにも腹が立ち、相手かまわず叫び声をあげたり怒鳴りあげたりするかと思うと、自分の部屋に閉じこもって自殺することを考えました。

父とわたしの関係を母が知っているとわかり始めたのは、この頃です。母は、見て見ぬふりをしていたのです。わたしは、ある日、ついに母に打ち明けました。母はわたしに激怒して言いました。

「なんてこと言ってるの？　そんなことを他の人に言っちゃダメよ。あなたの想像の産物にすぎないんだから。ダディの顔に泥を塗ることになるんですからね。ダディはね、お仕事の関係で敵もたくさんいるんだから、あなたが変なことを言ったら、大事件になりかねないのよ。そうなったら、どうなると思うの？　なにもかも失うことになるのよ」

今日、米国の未成年女子四人のうちひとりが、強姦、性的暴行を受けた過去をもつという報告があがっています。報告されないケースが多いので、実際の数字はもっと高いはずです。しかも、その大多数が、家族のだれかによる犯罪であるという事実は恐ろしいことです。多くの未成年者たちにとって、家庭は地獄なのです。今日、社会は、子供たちの訴えを本気で聴くようになってきました。しかし、二十年前はそうではなかった。当時このようなケースを、社会は真剣に受け止めていませんでした。学校にも、警察にも、ソーシャルワーカーにも、医療組織にも、一団となって、このようにも深刻な問題に対処する術がなかったのです。それだけではない、わたしの父は有力な法律家でした。彼に法的に立ち向かうことは、ダビデがゴリアテに挑戦するようなものでした。

母は、わたしが負っていた苦しみよりも、彼女が失う可能性のある現実を恐れました。名高い弁護士の妻としての立場、その社会的地位に伴う金力、権力、優越感——。つまり、母は、自分の地位と立場を守るために、わたしを生け贄に捧げたと言っても過言ではありません。母の裏切りは、父がわたしに強要した近親相姦（インセスト）よりも赦し難いものでした。とは言うものの、父がニューヨーク市から帰って来て、夜中にわたしのベッドルームを訪ねるのを、心ひそかに待っている自分に気付くようにもなりました。罪悪感と自己嫌悪に悶えながらも、わたしは父親に愛されたかったのです。

十二歳に近づくわたしの体は若い女の体になり始めました。次第に父は、わたしを訪ねて来なくなった。そして、三歳下の妹に、これまでとは違う変化を見たのです。これは、そこを通って来た者だけにわかる変化でした。わたしが詰問しても、妹は、そんなことはないとあくまでも否定しました。怒り狂って否定しました。

過ぎる二十年間、わたしは、両親を憎悪することにエネルギーを燃やしてきたと言ってもいいでしょう。最後に両親を訪問したとき、わたしは、父親に受けた性的暴力を、ペドファイル（pedophile:子供を性的欲望の対象とする者）である父親を模範市民と仕立てあげている両親と妹の偽善と悪を挑発しました。もちろん、両親も妹も、わたしを気ちがい扱いしました。両親は、遺産相続人のリストからわたしの名前を取り除くと脅迫しました。これは覚悟していたことでしたから、あなたの財産なんか欲しくはないと言って、わたしは去りました。その後、両親にも妹にも会っていません】

マキは頭がくらくらして、胃が疼くのを感じた。涙にもならぬ困惑と悲哀。人も羨む物質に恵まれたブラウン家の中に二十年間も隠しに隠されてきた非道。メリサの叫び声「くそくらえ！」は、これだったのか。

マキは、立ち上がって台所に行き、水を飲んだ。

（メリサは、なぜ、このことをわたしに打ち明けたのだろう？　こんなことをわたしが知って、わたしになにができると思っているのだろうか？）


アパートの隣室のドアがバターンと勢いよく閉まる音がした。

「カメさん、お池にいるかなあ」

かん高い子供の声がした。

「いるといいわね」

「おうちに連れてきてはダメなの、ママ？」

「カメさんのおうちはあのお池なのよ。さっちゃんだって、おうちでパパやママと一緒にいたいでしょ？」

「そうだね。カメさん、パパやママと一緒がいいもんね」

隣室の親子の声が遠ざかって、印刷された文字の中から、メリサの声が取って代わった。


【自分の心を正直に探ってみると、両親の偽善を激しく憎悪しながらも、ブラウン家の長女であることに、わたしは一種のプライドをもっていたのです。なんという矛盾でしょう！　両親の浅は

かな虚栄心は、わたしの中にもありました。子供のとき、友だちを家に招かなかった理由も、安物の服装で登校した理由も、友だちの前でわざと下品な言葉を使ったり、まぬけなふりをした理由も、すべて、わたしのプライドの投影でした。両親に逆らうわたしの反抗そのものが、わたしの内側に隠れていた偽善の投影であることに気付き始めたのです。この認識は、わたしを追い詰めてしまいました。

大学院の修士課程に入学した頃ですから七年ほど前になると思うけど、それまでわたしの分別を支えていたなにかがプツリと切れて、わたしは自殺を図りました。病室で意識を取り戻したときの混乱は、なにに例えてよいのかわかりません。激しい頭痛と吐き気が続き、発作に襲われ、自分の命を終えることさえ許されなかった運命を呪いました。

ある朝、冬の朝陽が昇ってからどれほどの時間が経っていたのか知りませんが、ウォーンという音がして、わたしは目を覚ましました。わたしが寝ていた病室の寝台の横にある椅子にだれかが座っています。睡眠薬を多量服用して自殺未遂に終わったわたしの脳は朦朧としたままで、現実と非現実の違いが見極められません。椅子に座っているのは人間なのか。人間であれば男なのか女なのか。それとも、実体のない存在(エンティティ)なのか。もしかしたら、非現実の世界から出て来た動物なのか――。それがなんであれ、その存在は、まぶしいブルーの輝きでした。絶妙なそのブルーの存在に、わたしは、ただ見とれているばかりでした。そして、再び深い眠りに落ちて行きました。

その日の午後、
「メリサ、さあ、これを飲んでごらんなさい」
と言う声で目が覚めました。朗らかな顔をした看護婦のエリーが、プラスチックのストローをわたしの口もとにあてて、冷たい水を飲ませてくれました。とてもおいしかったのを覚えています。

翌朝、同じ時刻に、ウォーンと響く同じ音が、再び耳もとに聞こえて目が覚めました。またしても、あのブルーの存在が椅子に座っているのです。わたしの脳は、前の日に比べるといくらか鮮明になっており、ブルーの存在がはっきりと見えました。わたしは身も心もそのブルーに委ねきって、今一度、深い眠りにつきました。

三日目の朝、あの音が鳴り響く前に目を覚ましていました。すぐさま横の椅子を見ました。そこには、ひとりの中年の女性が座っていました。ブルーのロングドレスを着ており、白髪の混じった長い黒髪は後ろでひとつに編まれています。がっしりとした顎の骨格は男性のようで、鋭い目は鷲

の目を想わせ、そのくぼみの中から、茶色の瞳がわたしを見つめていました。女性は、椅子に座ったまま、

「ハローボーン（Hollow Bone）です。よろしく」

と挨拶しました。ハローボーン？　変な名前——。彼女はわたしの考えていることを見抜いたようでした。

その日から、このハローボーンによる癒しが始まりました。むしろ、その数日前の朝から始まっていたと言ったほうが正しいでしょう。昨年の夏、マキがわたしのアパートに来たとき気付いたと思うけど、わたしが読んでいる書物は、彼女の影響です。ところで、マキは、ハローボーンに会っているんですよ。あのファイヤーセレモニーで。あのとき、あの儀式を指導していた女性、あの人がハローボーンです。

ハローボーンとは、空洞の骨という意味です。命の本質である骨髄さえもない空っぽなのです。すっからかんの骨です。癒しのセッションをもつとき、彼女は、ほとんどなにもしません。ただ、沈黙のまま、目をつむって不動状態です。彼女は、このことを、「空間を保持する」という言葉で説明しました。癒しは空間の中で行われるとハローボーンは言います。空間を開けた人はなにもせ

ず、別次元の世界の癒し人たちによって行われる癒しの儀式のために、あくまでも空間を提供するだけです。だからその人と癒しを実際に行う霊の師たちの間には、深い信頼が要求されます。つまり、信頼が、空間を保持する鍵となるのです。ハローボーンは、わたしのために空間を保持する役目を担ってくれました。わたしが退院するまで、毎日やって来てくれて。

ハローボーンと専門医以外の人にこのことを告白したのは、これが初めてです。そして、告白する相手にあなたを選びました。あなたにとってみれば迷惑なことだろうと思ったけれど、信頼できる友人は、今のところあなただけなのです。わたしの勝手な意思で、あなたを巻き添えにしてしまったことをお詫びします。あなたがシャーロッツヴィルに来たとき、わたしのこの過去について打ち明けようかと思いましたが、数年ぶりのあなたとの再会を、わたしの過去の泥水で濁したくなかった。

わたしのある部分は、親を赦すことこそ、現在学んでいる霊的成長の課題のひとつではないかと言い張ります。自分にも落ち度があったのではないかと自分を責める声は容赦しません。そのつど、傍観者の立場に立って、自分の感情と知性を眺めてきました。しかし、どうしても赦し切れない。

ヴァージニア大学に勤務するようになったある日、通勤途中に自転車から落っこちて、向こう脛にケガをしました。大したケガでもなかったのですが、かなり出血しました。しばらくすると、傷口の上にかさぶたができて、やがて痒くなってきました。せっかちのわたしは、そのかさぶたをムリに剥ぎとってしまったのです。かさぶたの下の傷は完治していなかったため、また出血し始めました。

かさぶたは、無理矢理に剥ぎとってはいけないそうですね。仕事場の友達に言われたのですが、傷が完治する前にかさぶたを剥ぎとると、傷跡が残るそうです。自然に剥がれるのを待っていると、傷跡が残らないのだということです】

メリサの手紙の文字が、マキの目に溢れた涙でかすんだ。せっかちのメリサのことは、マキがよく知っている。なにをやらせても、あきれるほどのスピードでやりとげるのだ。抜群の記憶力をもっているため、二、三冊の本や文献を同時に読んで、しっかりと把握しているメリサを妬んだ思い出がなんどもある。そんなメリサが、待つと言うのだ。待つことのできないメリサが、のろまなことの嫌いなメリサが、彼女の深い傷が自然に癒えるまで待つと誓ったのである。なんという決心だろう。完治していようがいまいが、痒くなったかさぶたをムリに剥ぎとって再び出血する。出血した箇所に、新しいかさぶたができて、それをまたムリに剥ぎとる。なんどもそれが繰り返されるうちに、消えることのない古い傷跡が、永久に残るのだ。ところが、エメットト・デイスターは、メリサ・ブラウンの過去を繰り返さないと誓ったのである。

【この手紙があなたの手もとに届く頃、わたしはヴァージニアを後にして、シアトルの沖の島に引っ越します。ハローボーンが、その島で癒しのセンターを開いたので、しかも、折よく一年間の有給休暇（サバティカル）がとれたので、そのセンターでわたしも学ぶことを決心しました。これをきっかけに、エメット・デイスターとして、新しい人生を西岸で始める気持ちです。一年後、再びヴァージニア大学の教職に戻るのか、それとも、全く別の人生を歩むことになるのか、わかりません。太平洋の向こう岸にマキがいるのだから、日本で会うことになるかもしれませんね。元気でいてください。この手紙を読み終えてくれたことを、そして、あなたとのこれまでの友情を、心から感謝しています。願わくば、再会できることを。エメット・デイスター】

第十二話　女神は見捨てられていた

山田町はシャクナゲの季節であった。咲き誇っていたときはみごとであっただろう牡丹が、先週の台風の被害を受けて地面にひれ伏している。蒸し暑い初夏の空気の中を、マキはひとりで、あの石畳の坂道を上っていた。温泉の熱い湯が、懐かしい音をたてて竹筒から流れ出ていた。一年ぶりの山田町である。

老婆がひとり、流れ出る湯の前、タエの慣行(ならい)の場にしゃがんで、両手を合わせて拝んでいる。ところが、あの地蔵仏(ぼとけ)の姿がない。マキが横に立つと、老婆は目を開けて、「よいしょ」と立ち上がった。それから、自分より20センチも背の高いマキの顔を見上げた。

「この間の台風で、ここにおらした仏さんが倒れてしもうて――。胸のあたりが半分に割れてしもうたそうじゃ。わたしは、あの地蔵さんが好きで、この道を通るときは、必ずご挨拶をしよりましたが。修繕中なのか、オダブツになってしまいなさったのか、代わりの仏さんがご就任になるのか――どっちにしても、さみしいことです。あんたは、この町の人かいな？　あの白いよだれかけの地蔵さん、ご存知かいな？」

喋るたびに、口の中の入れ歯が外れそうになっては、またもとにおさまる。それが何回も繰り返されるたびに、入れ歯がガクガクと音をたてた。

「ええ、あのお地蔵さん、子供のときから、よく覚えています」

老婆は「それは意外だ」とばかりに、嬉しそうに目を輝かせてマキを見上げた。

「そうかい、そうかい、そりゃ良かった。うまいこと元気になられて、早うお勤めに戻って来てくださいと、今もお願いしておったときでした。

ときたま、おいしいものをお捧げしましてな。なあに、高いものじゃありません。せんべいとか、うちの庭になった甘柿なんてもんです。地蔵さん、ニコニコホクホクでな。わたしもついつい嬉しゅうなって、だんごのお捧げをしましたら、まあ、あのときの喜びよう。だんごが地蔵さんの大好物だったとは、知らぬが仏とでも言いますかいな」

そ、それは少々意味が違います、とマキが口を挟もうとしたものの、老婆は声をたてて笑うばかりで人の言葉なぞ解さない。大笑いをした拍子に、危うく入れ歯が外れ落ちそうになったのをかろうじて指で取り押さえ、口の中にしまい込んだ。

「わたし、お地蔵さんが笑ったのを見たことがありません」

うかつにも、マキは白状した。夢の中で見た地蔵さんの目は、どこかわけのわからない方角を見ていましたと付け加えようとしたが、押し黙った。老婆は急に笑うのをやめて、大口をあんぐり開けたまま、マキの顔を穴があくほどに見入った。あたかも宇宙人に出会ったかのようなひょんな仕草である。やっとのこと、なんらかの結論に達したとみえて、老婆は、

「そうかい、そうかい、お若いのに、気の毒なこっちゃなあ」

と言って、頭をふりふり遠ざかって行った。

水色の家の中からブルーが失せていた。水晶石も姿を消していた。段ボール箱が所狭しと積み重ねられている。

「形あるものはすべて無くなるものです」

段ボール箱に目を見張っているマキに、水色の家の人が語りかけた。

「お引越しですか？」

部屋の中を見回しながらマキが尋ねた。

「ええ、必要のないものは古道具屋さんに引き取ってもらって、あとは貸し倉庫に入れることにしたの。土地も家も買い手がみつかったので、わたしは旅に出ようと思って」

十五の春、初めてこの家の中に入って以来、マキはなんどか水色の家の人をひとりで訪ねたものだ。そのつど、水色の家の人は、マキの思考力、想像力を刺激した。

（それが、最後のわたしの別れ方で、水色の家の人はわたしに見切りをつけたのだろうか）

マキの足もとがふらついた。


「旅？　どちらへ？」

「はっきり決めたわけではないけど、まずマドリードへ飛んで、その後、北アフリカのチュニジアに行こうと思ってるけど、行き当たりばったりって感じ」

水色の家の人が、ほっほっほっほっと楽しそうに笑った。


オレンヂ色の瓦屋根の家が建ち並んだ道。地中海へ続く道。その横に延びる石畳の細道を、記憶している限りでは、マキは二度歩いたのだ。いずれも夢の中で。いや、それは、何十回も何百回も歩いた道なのだと、マキの潜在意識に埋もれている記憶は訴える。その記憶は、マキがマキになる前の、そして又、マキがマキを終えてしまった後の本質（エッセンス）の中に織り込まれた記憶のひとつなのであろう。

「そうなんですか。それじゃ、今日思い切って訪ねて良かったわ。実は、わたし、水色の家の人に――」

　はっと気付いたときには遅かった。水色の家の人は「え？」と首を傾げたが、敢えて質問しようとしなかった。マキはほっと軽く息を吐いて、肩の力を抜いた。そうして、準備していた言葉を一気に並べた。

「最後にお会いしたとき、失礼なことを言って――。わたし、あなたのことをわたしの伯母さんだと思いたくないんです。これまであなたから教えていただいたことは、わたしの心の中に深く位置しています。わからないことはいくつもあるけど、そのうちにわかるときが来るのだと思っています。わたしにとって、そんなに大切なあなたとの関係が血のつながりで理由付けられるのは、どうもしっくりいかない。わたし、自分の中に流れる血を憎んでいるのかもしれないけど」

　窓際に置いてある段ボール箱を指さして、水色の家の人が言った。

「マキちゃん、これ、プレゼントなんだけど、受け取ってくださる？」

「プレゼント？　わたしに？」

「このリビングルームにあったブルーの水晶石。あなたを夢に誘導してくれた石よ」

　マキは言葉を失った。

「十四、五年前になると思うけど、あなたが初めてこの家の中に入って来た日のこと。あのとき、あなたがどんな夢を見たのか知らないけど、大切なメッセージを抱えてあなたを訪れた夢だったのでしょう、きっと。覚えてる?」

忘れられようか。すべては、あの夢から始まったのだから。赤鬼と青鬼に挟み撃ちされた太鼓橋の上。無我夢中で川の中に飛び込み、溺れかけた夢。マキの体をがんじがらめに縛り付けていた水色の手が、次の瞬間には、川面に向かってマキを支え、もち上げてくれた。

水色の家の人が首を傾げてマキの喋るのを待っていた。

「あのとき、あなたに出会わなかったなら、多分、わたしも祖母や母、ヤエさんたちと同じ人生を繰り返していたでしょう。足掻きながらも、歩いている方角を決して変えようとしなかった。もしかしたら、取るべき道が別にあるのかもしれないと検討することもしなかった。それが彼女たちの人生でした。

わたしの性(さが)なのかなあ。母たちの人生パターンを織った糸が、遺伝的にわたしにも記憶され受け継がれています」

水色の家の人の不動状態の目が、なにかを探るようにしてマキを見つめた。

「だけど、わたしの人生パターンを織る糸は他にもある、親から受け継いだ糸だけがわたしの可能性ではない、他にも数限りなくある――選ぶのはわたしなんだ。あなたは、それをわたしに気付かせてくださったのです」

薄紫のつぼみのついたラベンダーの周囲を、小鳥が一羽、ピョンピョンと飛び跳ねている。マキの心の中でも、なにかが跳ねた。

（「運命の女神に見捨てられた」と母が言ったそうである。果たして、そうだろうか？）

小鳥がもう一羽、ラベンダーの根元で同じように飛び跳ねた。わき目もふらずに、二羽の小鳥は、小さなくちばしで土壌をつつく。

「わたしたち、仮面をつけて人生を渡るんです」

少なからぬ興奮した声音を秘めて、水色の家の人が語り始めた。

「仮面。子供たちは、周囲の大人たちから、この仮面をかぶらされるのです。『子供へ託す親の願い』という名前の仮面。ヘルマン・ヘッセが言った『車輪の下』のこと。でも、結局は仮面と同一化してしまって、それが自分だと思い込んだまま一生を終えるんです」

ラベンダーの葉っぱがサッと揺れて、二羽の小鳥のうちの一羽が宙に飛んだ。即座に、もう一羽が後を追った。


（母は、女神に見捨てられたのだろうか？）

（そうじゃない。見捨てられたのは母ではなかった。見捨てられたのは女神だったのだ。母が、女神を見捨てたんだ）


「そうなのよ、自分を見捨てるのよ、わたしたち。本当の自分を見捨てるのよ」

またもや見破られた。こういうことが、時折ある。自分の考えていることが見透かされて、水色の家の人に先手を打たれることがあるのだ。

「わたし、子供のとき、両親が喜ぶような子供になりたいと努力したのよ。わたしが良い子でいれば、父が母を大切にしてくれると、子供ながらに思ったのね。お勉強もよくしたし、ピアノも上手だったし、いわゆる、模範的な子供だったのよ。でも、わたしの願ったことは叶えられなかった。母の死後――」

フフフと水色の家の人がほくそ笑んだ。言葉にしない多くの出来事が、そのほくそ笑みの中に隠れているのだろう。

「母の死後、良い子の仮面はみごとに脱ぎ捨てたんだけど、別の仮面をかぶったにすぎなかった。やぶれかぶれの仮面だったわ。学校をさぼって遊び放題。まともに心配してくれる人はだれもいなかったから、好き勝手な生活をして、高校退学処分を受ける間際まで行ったのよ」

遊び惚けている若い水色の家の人のイメージが、マキの脳裏にどうしても姿を見せないのは何故だろう。

「その後、いろんな国々を彷徨ったとき、仮面をつける必要のない社会で生きている人たちに出会ったんです。日本人はわたしが初めてという南米のある村のジャガイモ畑で、数年間、村人たちと肩を並べて働きました。

そう言えば、マキちゃん、知ってる？　ペルーではね、二百品種を超えるポテトが栽培されているのよ」

あのあどけない笑顔が、水色の家の人の満面に浮んだ。

「そうこうしているうちに、警戒心とか張り詰めた緊張感が消えているのに気付きだしたの。相手をみくびったり、気取ったり、競争心も、いつの間にか過去の思い出になってしまっていた。
ペルーの人たちは、否定的なエネルギーのことを重いエネルギーと呼ぶのよ。わたしの両親が背負っていたようなエネルギーのこと。ところがね、そこの村人たちのエネルギーはとっても軽やかで、底抜けに朗らかなの。
そうしているうちにね、わたしの内には光が住んでいる、とっても清らかで美しい光が。この光の存在に目覚めた当初は、かなり戸惑ったものです。わたしはこんなに清らかなものではないって抵抗したものです。仮面の自分しか知らなかった自我が、新しい発見にびっくりしたのかな」

マキは、深く吸った息を吐いた。

（そうだったのか。詰まるところ、水色の家の人は自分を見捨てなかったのだ。見捨てなかったがゆえに、見捨てられることもなかったのだ。それどころか、女神は自分の内側に存在するのだ、己の本質は輝く光なのだと悟ったのだ。その結果、古い糸で織られたパターンは崩壊せざるをえなかった。そして、彼女は、新しい生き方を創造したのだ）

山田町が眼下に広がる丘の上に、ふたりはたどり着いた。十分ほどの泥道であったが、初夏の夕暮れは蒸し暑かった。山田町の全景を仰いだのは、これが初めてである。頭の中で描いていた山田町よりはるかに広く、田畑が山のすそ野まで延びている。

（水色の家の人がここを去ったら、わたしは、あてもなく、ここを訪ねることがあるだろうか？）

マキは、横に立っている水色の家の人を見た。銀縁メガネの奥の目が、西の山間（やまあい）に沈んでいく夕陽を眺めている。

「醸し出るものなのよね」

静かな落ち着いた声がそう言った。

「かもし出るもの？」

「そう、この夕焼けの空の色のように」

西の空は、今や燃えていた。橙色、黄色が炎のように広がって、淡いブルーと溶け合っている。キャンバスの上で創造されたことのない新しい配合色が、みるみる誕生していく。

「自然は天才、醸し出す天才なの。一生懸命作り出そうとする努力や自意識がないでしょう。自ずと、いつの間にか醸し出ているの。それだけじゃない、醸し出たものにしがみつく執着がないから、同じ創造が二度繰り返されることもないの」

山間に陽が沈まんとしている。ふたつの細長い影法師がふたりの背後に横たわって、そのひとつから声がした。

「わたしたち人間も自然の一部なんだから、それを知っているはずなんだけど、忘れちゃったのね。行うことの方が、在（あ）ることより大切になってしまったから。醸し出るものは、『在（あ）る』ことから自ずと生まれるものなんだけど、人間にはもはやそんなことはわからない。だから、自由をとりあげるのは、終局的にはあなた自身なのよ。しがらみの紐を切るのもあなたなのよね。でも、無我夢中に切るのではなくて、あなたの存在自体に在（あ）ることから、自然にほどかれていくものよ」

またしても、メリサのかさぶたが目に浮かんだ。メリサの心のかさぶたが自ずと剥げるとき、メリサの癒しが醸し出るのだ。そのとき、メリサは、両親を赦すか赦さないかを問うことすらしないだろう。

大きな涙の塊（かたまり）が喉もとに突き上がってきて、マキは我知らず、大声を張りあげて泣き出

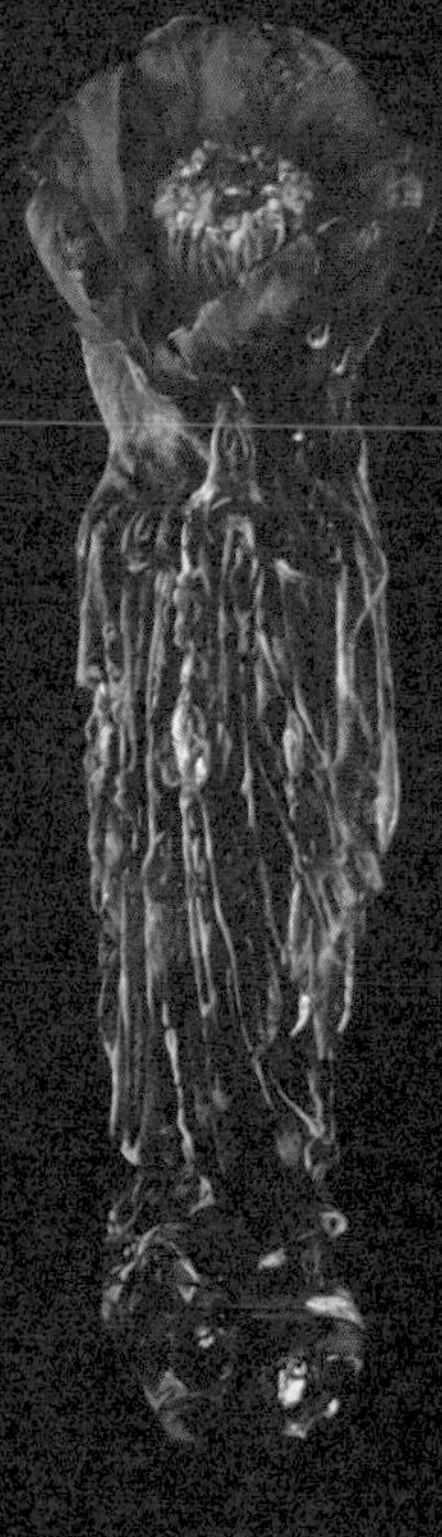

した。その涙の塊の中には、物心のついた幼少期から今日まで背負ってきた重いエネルギーがひしめき合っていて、情緒はそれらをどのように片付けてよいのかわからずに戸惑っていた。

西の空の夕焼けは色褪せ、周囲には闇が忍び寄っていた。動物の遠吠えのような慟哭が、マキの両肩からほとばしる。野生の動物の遠吠えの中にも情緒のひしめき合いがある。ましてや、人間のありとあらゆる困惑を、どのように処理してよいのかわからない情緒は、防波堤を打ち砕く水力のように荒れ狂って泣く。

第十三話　康男の晩秋

冬空が姿を見せてきた。青白い晩秋の空に、灰色の混じりが増してきている。紅葉した木々の葉は枯れはて、公園のそこら中で枯れ葉が舞い上がる。もうすぐ木々は素っ裸（すっぱだか）になり、冷たい木枯らしが吹き抜けるのだ。

康男は秋、とくに晩秋が嫌いだ。忍び寄る冬の足音が、否応なしに聞こえてくる。物忘れが頻繁になってきた。右膝が痛む。夜中に目が覚めて眠りにつけないことがしばしばある。鏡を覗くと、徐々に薄くなってきた頭のてっぺんの丸禿げは、もはや隠すことのできない事実である。だがなによりも、なにかに情熱を傾けるということができなくなってしまった。三十年前に友人と会社を設立したときのあの情熱は、自分のものだったのだろうか。その会社も、最近手放した。面倒くさいことに手を付けるのが億劫になってきたからだろうか。それとも、これは、七十歳になった自分のとるべき世の習いだと思ったからだろうか。

最近、康男は、いつ訪れるかわからない死に直面する準備が自分にはあるのだろうかと自問することが多い。

「またお葬式なのよ。杉田さんのご主人が亡くなられたの。八十六歳だったんですって」

祖母の声が耳もとに聞こえてきそうである。この祖母は、若死にした母親の代わりになってくれた康男の第二の母であった。

「若いときはね、結婚式とか出産のお祝いなど、楽しいことが多かったんだけど、最近出席するのはお葬式ばっかり。なんとなく気が滅入っちゃうわ」

そう言った祖母の葬儀が、それから三年後に執り行われた。

タエの死後、子供たちとの接触が増えたのは事実であり、マキとの会話はことさらに、潜在意識の語りたがらない内容を掘り起こすことが多い。働きっぱなしだった自分は、なにを代価に仕事に熱中したのだろう。扶養家族があったのだから当たり前じゃないかと反論する自分に、果たして、ほんとうにそれだけだったのかと問い返す自分もいる。鬱になったり、ヒステリーを起こしたりするタエを避けたかったためもあっただろう。よく働くご主人だと世間から称賛を受けたかった気持ちもあっただろう。会社を成功させることで、自分のエゴを満足させたかったのも、その理由のひとつだろう。だが、なによりも、恐らく、がむしゃらに働くばかりで、立ち止まってそのようなことを考える余裕さえなかったというのが本音だろう。

神話研究の権威者ジョゼフ・キャンベルが、Follow Your Bliss! と言ったとき、康男は、鋭い矢で胸を射抜かれたような気がして、その場に立ち尽したことがある。Bliss ブリス、心ときめく歓喜、至上の喜び、その方向に向かって進めと言っているのだが、自分のブリスがなんなのか、康男にはわからない。会社が予想以上の成功を収めたときの喜び、あれがブリスだったのか？　ならば、ブリスは世間の評価を必要とするのか？　確かに、生涯をひとつのことに捧げる人がいる。その人の捧げたものは、目に見える成果をあげなければならないのだろうか。康男は、自問自答の最中に、ブリスは個人的なもの、主観的なものだろうと結論する。しかも、それは、なにかを成就することとは違うような気がする。わたしのブリスはなんなのですか？　とテレビの画面のキャンベルに問いかけたことがある。当然、他者に問うべき質問ではないことを承知しつつ、康男は、この質問の周囲を放浪しながら過去二、三年を過ごしてきたのだ。

「みんな行っちゃったわね」

公園のベンチに座っているマキは、隣に座っている父親に静かな声で語りかけた。康男がうなずいた。

「水色の家の人も、さとるも、地球上の方々へ散らばってしまったのね」

チリ国の天文物理学者が、さとるの研究論文を読んで招聘したのだ。チリのアンデス高山には、天文台、研究所が次々に建設されているということで、さとるは、招聘状を受け取ると即座に出立の決心をした。標高五千メートルを超える高山地である。喘息もちのさとるの肺が、そのような環境に耐え得るのだろうか。

「マキは気付いているかどうか知らないが、タエが亡くなってから、さとるの症状が消えたな。今では、薬も服用していないし、吸入器も使用していない」

「やっぱり、あの子の喘息は精神性のものだったのね」

さとるが搭乗した飛行機が、成田空港の滑走路を南半球の国に向かって離陸したとき、最後の名札を切ったあの青鬼のヴィジョンがマキには見えた。前年の冬、タエが他界する三日前の夜、レストラン・ミッシェルで、康男が言ったのだ。さとるは、血のつながり以上のところで人間関係を認識しているのではないか、そして、それがさとるの本来の姿なんだろう、と。父の言葉に同意する反面、マキには、あのファイヤーセレモニーで体験したヴィジョンが忘れられない。さとるの身体に括り付けられた名札は、彼の苦痛のうめき声に他ならなかった。

「それじゃ、どうしろって言うんだ」

これが最後の切り札であった。さとるの身分を証明するうめき声。

今になってマキは理解する。さとるの目の意図が、見ている対象から逸れていた理由を。これもまた、さとるの生存手段だったのかもしれない。そうでなかったなら、彼は、母親に対する嫌悪感で燃え尽きたであろう。もし、ほんとうにさとるが、タエのハイヤーセルフを垣間見ていたのであれば、母の現実の姿と彼女の真の姿の間の矛盾に挟まれて、身動きがとれなかっただろう。どうしてよいのかわからずに。

詰まる所、溺愛された者も、見捨てられた者も、結果的にたどり着くところは同じなのだ。絡みつく糸がほどけない限り。

さとるの乗った飛行機が、言語も習慣も、水も空気も異なる国へと日本の空を飛び発ったとき、彼の人生の第二幕が開いた。彼の人生の第二幕は、ただ単に生存するだけの人生ではない。さとるの目は星を見る。宇宙を見る。恐れることも激怒することもなく、失望することも動揺することもなく、さとるの目は、彼の星と合致する。さとるは、自分のために第二幕を生きるだろう。彼を縛り付けていたしがらみの名札は切り刻まれて、その力を失うことであろう。

康男は、

「逃がしてやろう、な？」

と娘と約束しあったことを覚えていた。これは逃亡ではない、康男は考える。

（俺は逃げたが、さとるは己のブリスを追って行ったのだ。しかも、彼の発見が世に認められるか否かは、彼のときめく心の中には存在しないのだ）

ある仏教徒の先生が言った。わたしの見ている対象とわたしの間に、見るものと見られるものの隔たりが失せてひとつになったとき、それが目覚め、悟りであると。

康男は、大学生のときに読んだ「我と汝」（I and Thou）というユダヤ教の哲学・神学者の教えを想った。さとるの見る星は、さとるにとって、「それ」（it）ではなく、「汝」（Thou）なのだ。隔たりは失せてしまっているのだ。

枯れ葉が一枚、康男の頭の上に落ちた。

「さとる、コーヒー飲んでたわね、空港で」

「うん、俺と昼飯を食うときには、時々飲んでたけどな」

「そうだったの。コーヒーは苦いから嫌いだと言ってたけど、おいしそうに飲んでたわ」

「うん、あいつ、苦い味が平気になったんだ」

「苦い味が平気になったのか――」

マキは、父親の言葉を復唱した。横田の爺のブラジル産コーヒーの香りが、ふっと漂ってきた。

「パパ、このすぐ近くにおいしいコーヒーを飲ませてくれるカフェがあるのよ。わたしのごちそうよ、行きましょう！」

ベンチから立ち上がって、マキは父親の手を取った。

「そのコーヒー、高くなりそうだなあ。一杯のコーヒーが、今夜の夕食に化けるんじゃないだろうな」

「あら、どうせ化けてくれるんだったら、レストラン・ミッシェルのフランス料理に化けてくれないかしら」

父娘の笑い声が、舞い散る枯れ葉に乗ってリンリンと鳴った。ガンの群れが、V字型に並んで飛んで行く。騒々しい声を張りあげながら。人の命もあれば、鳥の命もある。人間の可能性は果てしなく、ひとつの村から次の村へと続いていく。

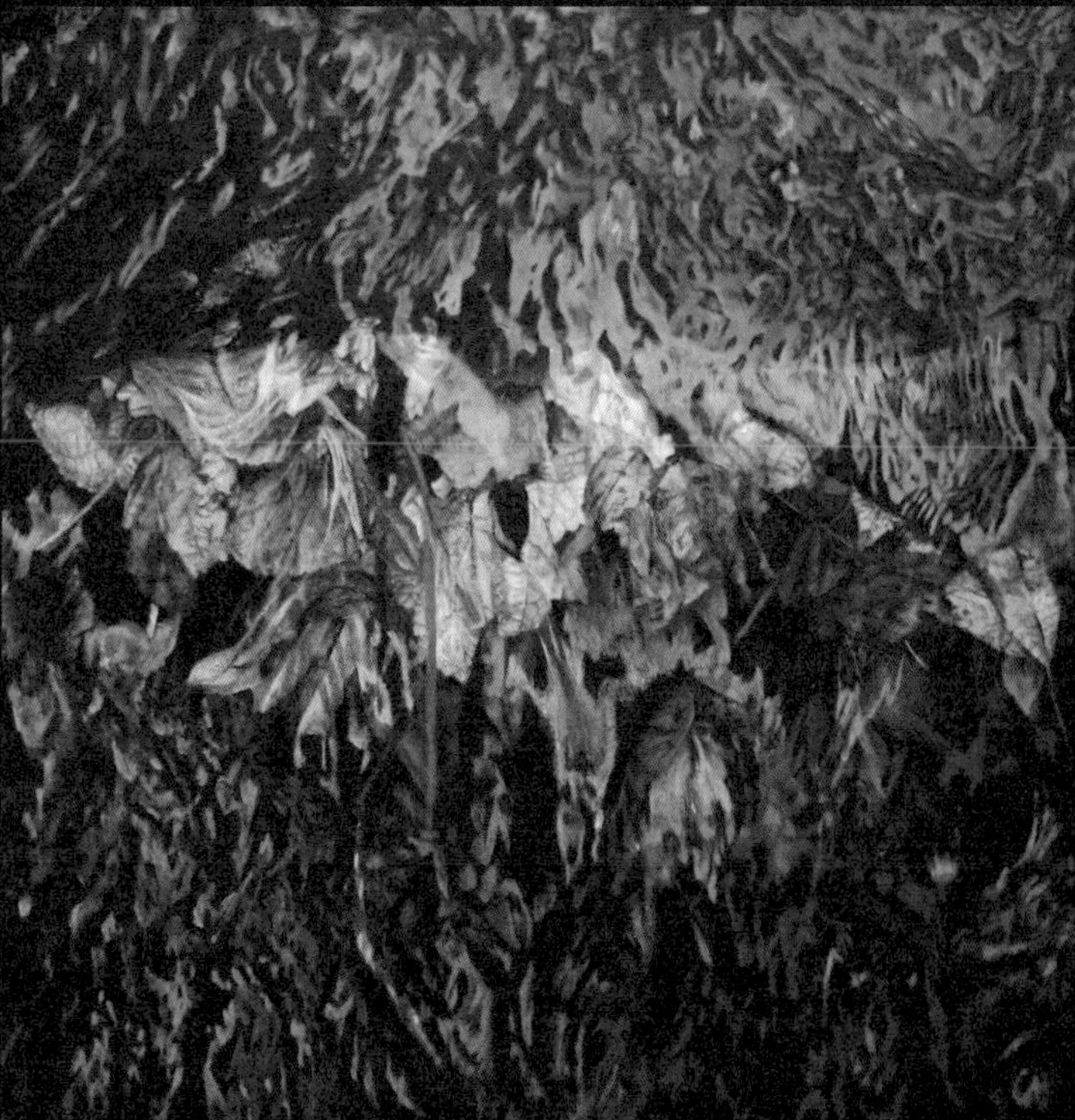

第十四話　オールドヒッピーのメッセージ

マグカップに注がれたコーヒーの上に、康男はクリームで円を描く。決して、スプーンを使って混ぜない。混ぜると風味が変わると言い張るのだ。そして、マグカップの縁を、ややぶ厚つすぎる嫌いはあるけれど、整った形の唇の間にのせてゆっくりと啜る。

「ああ、うまい」

目をつむった康男の顔に、満足感がこぼれた。

All you need is love, All you need is love, Love, Love——

ザ・ビートルズの懐かしい音楽が、静かな土曜日の午後のカフェの空間をぱっと明るくした。温かいマグカップを両手で抱きしめるようにして、康男は、そっと目をつむったままである。

（あれから、半世紀が過ぎたのか）

長髪の白人男女がたむろしているのが見える。公園の大木の周りに集まったヒッピーたちは、自筆で書いた反戦、反体制スローガンのプラカードを地面に放り投げて、かったるそうにごろ寝している。よれよれのジーンズの破れ目からは、汚れた膝小僧が覗いている。マリファナの匂いが周囲にたちこめ、白人の中でたったひとりのアジア人青年が、地面に座ったままギターを手に取り、爪弾き始めた。

――Love is all you need, Love is all you need――

ギターを弾く青年は、青と黄色の縦じまの、白い襟のついた綿のシャツを着ている。そのシャツの上で、小さな貝殻を紐に通して作った首飾りがじゃらじゃらと音をたてる。そのシャツにも、その貝の首飾りにも、康男には見覚えがあった。あれから、半世紀が過ぎたんだ。康男は、危うく嗚咽が跳び出そうになるのを、かろうじてこらえた。

同学年だったマークは、ニューヨーク州の法務長官になった。ルームメイトだったトムは、アイビーリーグの大学の名誉教授になった。ユダヤ人のイツハクは、ベトナム戦争に徴兵されるのを逃れるためイスラエルに移住したが、イスラエル国家に徴兵されてベエルシェバで戦死した。

（半世紀か――。結局、俺たちも、体制の一部にのみこまれちゃったんだな）

アメリカは変わらない。変わってもらっては困るのだろう。変わることを断固として制止する力は動かない。戦争は、麻薬のようなものなのかもしれない。やめるにやめられない泥沼。見返りの誘惑が莫大すぎるのだ。

「人生は夢だな」

マキの目が、急に老人になった父親の目をとらえた。

「ついこの間まで、僕も青年だと思っていたが、鏡を見ると、白髪のジイが立ってるじゃないか。ほんとうに夢なら、なんでわざわざ夢を、しかも悪夢を見に生まれてきたんだろうって考えるときがある」

しばらくの沈黙の後に、マキが口を開いた。

「夢を見る必要があるからじゃないかしら」

「ほお、夢を見る必要か――」

「必要」という言葉を強調して、康男が繰り返した。

「わたしたち、夢の中で癒されるために生まれてきたらしいの」

「ふーん、癒されるためか。俺のような男でも、癒されるんだろうか」

康男の声は心もとない。自分にも癒される必要があることは認めるのだが、自分のなにが癒されなければならないのか、それが漠然としている。身体的な癒しか、精神的なものか。それがわからないで、なぜ、自分は、癒される必要があると同意するのだろうか。


康男の自問自答の背後で、ギターを弾く青年の声がした。

「あんたたちの世代は、田畑に毒を撒き、水や空気を汚染しまくって、それを開発だの発展だのって嘯（うそぶ）いたんだぜ」

「これまで、何をして生きてきたって言うんだ？　今さら癒されたいなんて、虫が良すぎるのと違うかい？」

ギターをかき鳴らし続ける音が康男の神経に障る。康男の左頬が、ピリッと痙攣した。

「ふん、ラヴか。ちゃんちゃらおかしい。大安売りの宣伝文句じゃないか。笑わせるんじゃないぜ。若僧のくせに、生意気言うな！」

康男はマグカップを叩きつけるようにして、テーブルの上に置いた。同じテーブルの上に載っていたマキの両手がびくっと震えた。マキは、父親の切れ長い両目の中に、みるみる涙がたまっていくのを目撃した。そうして、もはや押し殺すことのできない嗚咽が、彼の両肩から溢れ出て、やがて全身が震えた。それは、ありとあらゆる弦楽器が一斉に振動したときのことを想像するとよい。張り詰めた緊張感、しかし、その緊張感の中には、新しく生まれんとしているメロディが潜んでいるのを、康男は知らない。

マキが手渡したティッシュで、康男が鼻をかんだ。声をかけたいのだが、マキは沈黙を選んだ。ベートーベンのソナタを演奏するピアノとチェロの二重奏が、店内のエネルギーを静かに刺激している。

しばらくのときが流れた。

充血した目をマキに向けて、

「これからマキはどうするつもりなんだ？」

と康男が尋ねた。

「わたし？　わたしはここに残って、今までと同じ生活を続けていくつもりよ」

「なにも俺のために残ることはないんだぜ」

自嘲なのか、自己憐憫なのか、康男は、時折、こんな態度をみせる。

「だれのためでもないわ。自分のためにそう決めたの」

「いらっしゃいませ！」

店主の明るい声が店内に響いた。サングラスをかけた男が入って来て、ドアの横の窓際のテーブルについた。椅子に座るとサングラスをはずし、穴のあいたよれよれの麦わら帽子を脱いだ。帽子を脱いだとき、突き刺していた鳥の羽がはずれて、床の上に落ちた。男は椅子から立ち上がって床の上の羽を掴みあげ、帽子に再び突き刺して、テーブルの上に無造作に放り投げた。頭はほとんど白髪であるが、羽を掴みあげたときに見えた頭のてっぺんには、まだ黒い毛が残っている。長い白髪はおさげに編んであり、両肩に垂れ下がったおさげの端は、輪ゴムで結んであった。男は至極やせており、喉ぼとけが異様に大きく突き出ていた。もうひとつの大きな特徴は、きわめて毛深い眉である。頭髪の白さに反して、眉毛は黒々としており、その下で鋭い目が光っていた。

店主が男のテーブルに近づいて行き、愛想よく会話を始めた。

「急に寒くなりましたね。いつものとおり、コーヒーをおもちしました」

「あ、どうも。これ、また、いつものように掲示板に貼っていいですか？」

四つに折りたたんだ紙切れを取り出して、男が尋ねた。

「どうぞ、どうぞ。お客さんの詩はなかなか好評ですよ。この詩人はどなたですかって、よく訊かれるんですよ」

「僕は、詩人なんかじゃない」

男は不愛想な返事をして、ズッッズッッズッと音をたててコーヒーを啜った。喉がゴクリと大きな音をたてた。

「詩集でも出されたらどうですか？　数奇な人生を歩んで来られたんですから」

男は返事をせず、毛深い眉の下から店主を睨みつけた。ぎょっとたじろいだ店主は、黙って頭を下げてテーブルを離れた。


男のテーブルのすぐ近くに座っていた康男とマキには、店主と男の間で交わされた会話がはっきりと聞こえていた。康男もマキも、このヒッピーの生き残りのような男に関心が向いた。聞き耳をたてていたわけではないのだが、男の鋭いまなざしがふたりに向かって投げられたので、マキは慌てて父親との会話に戻った。

「ブリンモア大学でルームメイトだったメリサ・ブラウンを覚えてる？」

「覚えてるさ。ヴァージニア大学の教授になった子だろう?」

「メリサは名前を変えたの。エメット・デイスターって名前」

「すごい名前じゃないか。芸名みたいだな」

「彼女、一年間有給休暇がとれて、シアトルの沖の島に引っ越したのよ」

「ふーん」

「ハローボーンというアメリカ先住民の女性に助けられたみたい」

「背の高いきれいな娘だったな」

窓際のテーブルでコーヒーを啜っている男のことが気になるのだろう、康男は横目で観察を続けている。

「助けられたと言うからには、複雑な事情があるんだろう。だれにでもあるんだよ、事情は。多かれ少なかれ」

康男の声に思いやりが戻ってきた。

「詳しいことは言えないけど、そのハローボーンという女性が、シアトルの沖の島に、癒しのセンターを開いたの。若い世代に癒す人たちを増やしたいと言って、彼女が学んできたことを伝承するんですって。メリサは、そこで、人生の第二幕を始める決心をしたのよ」

窓際のオールドヒッピーは、テーブルの上に置いたメモ帳に、鉛筆でなにか書いている。

「わたしの人生の第一幕は、ママとの関係で振り回されていたって感じ」

マキの声が続いた。

「ママの性格を受け継いでいるのね、わたし。お互いが、お互いの上に落としていた影を憎んでいた。自分を憎んでいたからよ、きっと。でも、第一幕は閉じたの。第二幕が始まったんだけど、この第二幕は、どうも芝居にならないみたい。シナリオもないし、アクションもドラマもないから。わたしを目撃しているわたしがいて、その目撃者が、目撃の書を書いているんだけど、それが第二幕になっていくのよ」

冷たくなったコーヒーを、康男が啜った。クリームは、とうの昔にコーヒーと混ざり合っている。

オールドヒッピーが立ち上がった。メモ帳と鉛筆をジーンズの後ろポケットにしまってから、立ったまま、コーヒーの最後の数滴を飲み干した。異常なほどに突き出ている喉ぼとけが、ゴクリと上下に動いた。テーブルの上にコーヒー代を置くと、カウンターの中に立っている店主に向かって一礼して、男は店を出た。

「それじゃ、来年あたり、ふたりで、その島を訪ねようじゃないか」

ことなげに、康男がそう言った。

「そうねえ。でも、そこはひとりで行く処だと思うわ。パパは英語ができるんだから、不自由はしないし」

康男は答えなかった。ふたりは立ち上がって、ドアに向かって進んだ。

「ありがとうございました！」

後方で、店主の明るい声が響いた。

店内へ続くドアと屋外へ続くドアとの間に、雨傘やコートをかける空間があって、そこに例の掲示板がある。あの麦わら帽子のオールドヒッピーが、新しい詩でも創作したのか、掲示板に貼っているのが見えた。男が屋外に続くもうひとつのドアを開けて外に出たのを見届けてから、康男は掲示板の前に立った。屋外に続くドアから冷たい隙間風が入り込む。男が掲示板に貼っていった紙切れを、康男は読んだ。折り目が残っているその用紙に手書きで書かれた文章を読んだとき、康男の顔色が変わった。体中に鳥肌がたった。同時に、

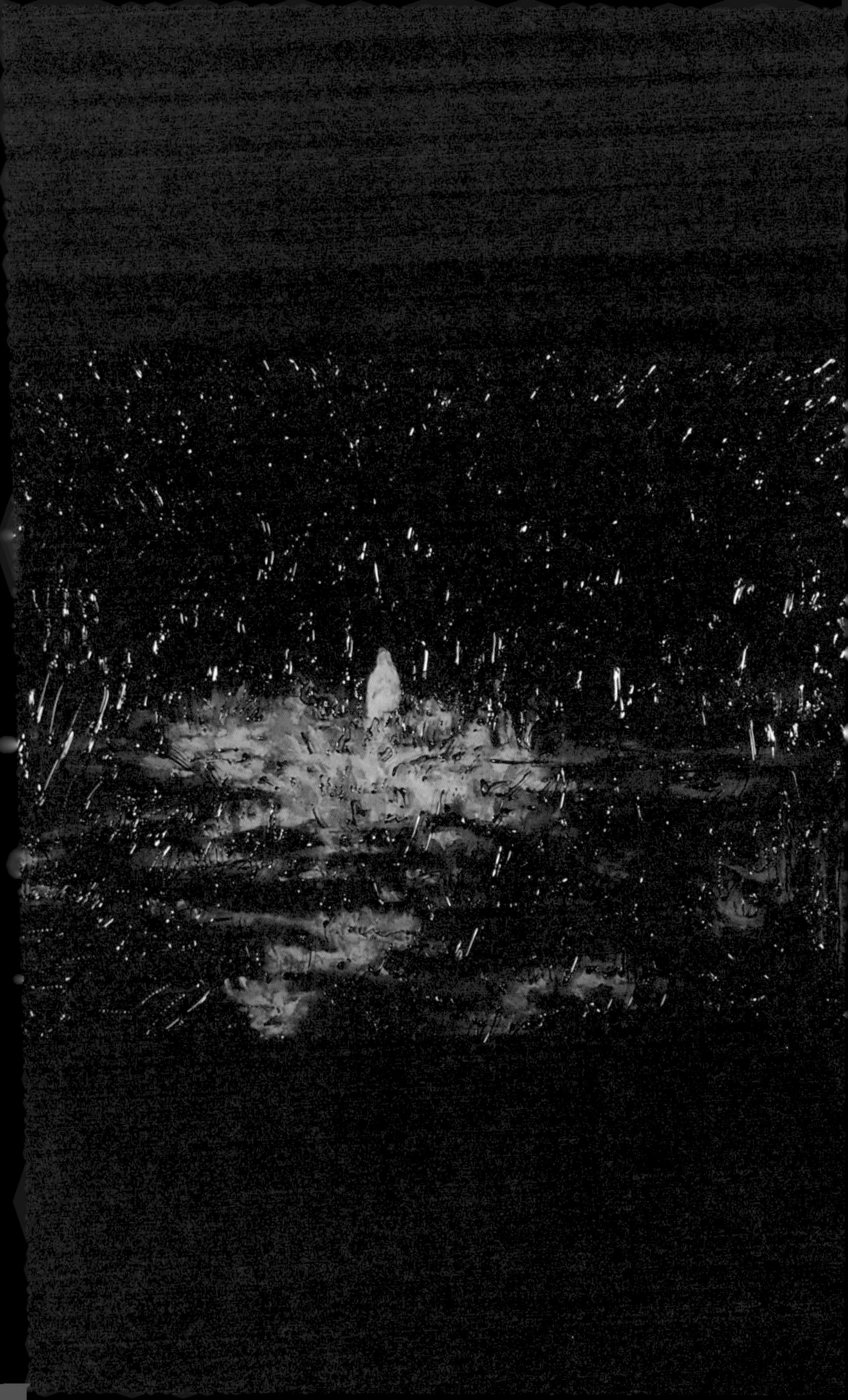

下腹を強く蹴り上げられた気がして、康男は、その場から動けなくなった。

Follow Your Bliss!

オールドヒッピーが掲示板に残した紙切れには、英字で、そう書かれていた。康男は、外を見た。公園の方角に向かって歩いて行く麦わら帽子の後ろ姿が見えた。

「パパ、どうしたの？　大丈夫？」

マキの心配そうな顔が、康男を覗き込んでいた。

「大丈夫でないかもしれないのは、マキ、俺とお前だ」

自分は、そう言ったのだ。タエが他界する三日前に。

晩秋の後に冬が来る。冬が終わると春が来る。山田町の有無を言わせぬ春が必ず訪れるのだ。次の村から、そのまた次の村へ。人間のだれにも内在する光の足跡は、消えてしまったように見えても、再び光り輝く。内なる女神は目覚め得る。

屋外に出た父娘の周囲に、突風が舞い上がった。マキのスカーフが、危うく吹き飛ばされそうになったのを、父が両手でキャッチした。

「ちょっと早いけど、食事に行きましょう、パパ」

康男が微笑んで夕空を見上げた。晩秋の夕空に浮かんだ三日月が、父娘を見おろして微笑み返した。

「そうだな。独りで行って冒険してくるか」

康男がそう言ったとき、彼の心の弦が震えた。その震動は、康男の心の中にそれまでひっそりと潜んでいた新しいメロディを奏で始めた。果たして、この事実を康男の意識が射止めたかどうかはわからない。しかし、ほのぼのとした稀な情緒が、康男の晩秋の中に、ほのかな灯(ともしび)をともしたのは疑いのないことである。

後記

わたしには、ふたつの母国があります。ひとつは、わたしの生みの親、日本。もうひとつは、わたしの育ての親、アメリカです。約五十年前に、わたしは生みの親もとを離れて、アメリカに来ました。育ての親アメリカは、非常に厳しくわたしを訓練し、かつ、とりつくろわない、ありのままの心情で、わたしを育んでくれました。

過去五十年のアメリカでの人生の中で、わたしは、信じがたいような人生をおくってきた人々に数多く出会ってきました。人生は夢でも悪夢でもなく、生き地獄であることを、身をもって体験してきた人々です。わずか中学生で、薬物依存の母親の世話と、弟妹の親代わりをしながら学校生活を続けた人。銃自殺の結果、脳みそや眼球がとび出て死んでいる息子の血まみれの死体を発見した母親。アル中の父親に朝晩暴力を受け、ある日、とうとう父親を殺してしまった男の子。親戚の男にレイプされて妊娠し、堕胎を余儀なくされた過去をもつ女性。来る日も来る日も、希望を挫かれ、希望をもつことが恐怖となってしまった人たち。自分には能力がない、自分にはなにも良いことは起きない、どうせ失望するだけなんだ——これは、いつの間にかその人の信念となり、信念は現実となってしまいます。

悲しいかな、このような現実は例外ではなく、アメリカの平凡な家庭内で起こってきた、そして起こり続けている悲劇なのです。家庭内暴力、校内暴力というのは、肉体暴力のみを意味せず、精神的・情緒的暴力も含みます。子供の内なる光を剥奪する非難、責め、冒涜、偽善、恥辱、いじめなどがそうです。ここで付け加えますが、「無視」も暴力のひとつだと思います。親、親戚、教師たちが、あたかもその子が存在しないかのように、冷淡に、なんの関心も示さず無視を続ける。こういった暴力は、子供の心理に深い傷を与え、やがて、その子供もまた、暴力者になる可能性があるのです。暴力者の大多数が、自らもまた、暴力の被害者であったという事実が物語っています。

成長期に受けた心の傷は、その人の心理（サイキ）に記憶されます。織物を織っているのを想像するとわかりやすいかもしれません。中世のヨーロッパの貴族社会の生活を織ったタペストリーをご覧になったことがあるかもしれませんが、わたしたち各人のエネルギーパターンは、各々のタペストリーの中に織られ続けていきます。そして、トラウマを織り込んでいるパターンは、無意識のうちに、自分の子供にも受け継がれていくのです。親から自分に、自分から子供に、子供から孫に――このパターンを織っている「絡みつく糸」をだれかが切り刻まない限り、それは引き継がれ続けていく可能性があります。

ところで、トラウマのエネルギーパターンを実際に変えてきた人たちがいます。わたし自身が、そのような生き方に注意を払ってきたせいかもしれませんが、人生という夢を意識的に変えてきた勇敢な男女に出会うことが増えてきました。彼らは、人生という夢の中で目を覚ましたのです。

「傷を負った癒し人たち（ウンディッドヒーラーズ）」(wounded healers) という言葉は、そのような人たちを形容しています。家庭内暴力、性的暴力、校内暴力、両親の不仲、病気、災害、戦争、破産、貧困、身体障害、差別など数限りない傷があります。その傷のかさぶたが自然に剥がれたとき、受けた傷に敢えて感謝ができるようになる、その時、その人は傷を負った癒し人になるのです。「癒し人」というのは、医療関係者だけを指すのではありません。むしろ、職業のいかんにかかわらず、彼らは癒す人なのです。学校の先生かもしれない、スクールバスの運転手さんかもしれない、主婦や主夫、郵便屋さん、会社の社長さん、八百屋さん、肉屋さんかもしれない。自らの傷を癒してきた人のエネルギーが、日々の生活の中で出会う人たちの傷を癒すのです。もちろん、傷を負った癒し人も人間ですから、間違いもおかすし、失敗もします。しかし、彼らは、おかした間違いや失敗体験からさらに学び、さらに大きく成長し、さらに癒す人となっていく。

地球（その中に住む人類を含む動物、植物、土、水、空気など）は、そのような癒し人たちが立ち上がるのを待ち望んでいます。今日、傷を負った癒し人たちの働きがますます必要となっているからです。


それでは、どのようにして、人生という夢の中で目を覚まし、これまで受けたトラウマを癒しの糧にしていくのか？　これもまた、一概に「ひとつのやり方」というものはあり得ません。個人によって、立場や状況に相違がありますし、「これだけが真理だ」という教えに盲目的に従っていくと、また別の傷を負う羽目になるかもしれません。あなたが、自分の運命の開拓者（パイオニア）になることです。奪い取られてしまったあなたの内なる光、マキの言葉を借りると、「見捨てられた女神」と再会することです。それには、勇気と自分に対する正直さと、心で考える力が必要条件となります。それはなかなかしんどいことでもありますから、「自分には、まだその準備がない」と思われるかもしれません。しかし、いつか、その時が来ます。

日々の瞑想の中で、体と精神を静め、あなたの魂がなにを語っているのか傾聴する習慣をつけるのは非常に重大なことです。

最後になりましたが、この小説が本となるまで、親切丁寧に協力してくださった未知の駅の諌山三武さんに、心からの感謝と敬意を捧げます。

この本の装画・本文イラストを、インスピレーションを受けながら創造してくださったアーティストの久保田沙耶さん。わたしの意思を尊重しながらも、適切なアドバイスをくださった校閲者の向山美紗子さん。そしてカバー・表紙・帯など、本の制作に重要なブックデザインを引き受けてくださったデザイナーの鴨美雪さん。みなさまに深く感謝しております。

２０２１年４月現在、「わたしはだれなんだろう・傷を負った癒し人たちの集い」のオンライン・ワークショップを企画しているところです。ご興味のある方、参加ご希望の方は、次のウェブサイトをご閲覧になり、ご連絡ください。

http://horikawashoko.com

shokodesuyo@msn.com

有無を言わせぬ春の訪れ

2021年4月20日 第1刷発行

著者　堀川祥子モイネヘン

発行所　株式会社 未知の駅
〒150-0013
東京都渋谷区恵比寿1-26-13-501
TEL 03-5422-7141
FAX 03-5422-7142
http://michinoeki.me/
info@michinoeki.me

編集　諫山三武
ブックデザイン　鴨美雪
装画・本文イラスト　久保田沙耶
校閲　向山美紗子

印刷・製本　株式会社イニュニック

ISBN 978-4-9911020-1-1
Printed in Japan